GWLADG

GWENT

SON OF GWENT

COFIO STEFFAN LEWIS

I Celyn / For Celyn

GWLADGARWR
GWENT
SON OF GWENT
COFIO STEFFAN LEWIS

RHUANEDD RICHARDS
(GOLYGYDD)

Dymuna'r cyhoeddwyr gydnabod cymorth ariannol
Cyngor Llyfrau Cymru

Llun y clawr: Plaid Cymru
Cynllun y clawr: Y Lolfa

Diolch i'r teulu a Phlaid Cymru am rannu rhai o'r
lluniau o Steffan yn yr adranau lluniau.

Rhif Llyfr Rhyngwladol: 978 1 78461 767 7

Cyhoeddwyd, rhwymwyd ac argraffwyd yng Nghymru gan
Y Lolfa Cyf., Talybont, Ceredigion SY24 5HE
gwefan www.ylolfa.com
e-bost ylolfa@ylolfa.com
ffôn 01970 832 304
ffacs 832 782

DIOLCHIADAU

I Cynog am yr addasiad Saesneg o'r bennod 'Dyn cyn ei amser', i Math Wiliam am y cymorth wrth ddod o hyd i'r areithiau, i Shona, Gail, Neil, Nia, Siân, Anne a Jocelyn am rannu eu hatgofion, i Meleri am ei gwaith diwyd, ac i bawb sydd wedi dangos caredigrwydd ers colli Steff.

To Cynog for the English adaptation 'A man before his time', to Math Wiliam for his help in finding the speeches, to Shona, Gail, Neil, Nia, Siân, Anne and Jocelyn for sharing their memories, to Meleri for her diligent work, and to everybody who has shown kindness since losing Steff.

Rhuanedd Richards
Golygydd/Editor

CYNNWYS

I'R ARWEINYDD NA FU

MAE RHAI POBL yn creu argraff o'r eiliad cyntaf; a'r cyfarfyddiad hwnnw yn sefyll yn y cof trwy'r blynyddoedd. Roedd y tro cyntaf i mi gyfarfod Gwynfor Evans a Dr Phil Williams yn rhai felly; a gwefr arbennig yr eiliad yn aros hyd heddiw.

Mae'r diweddar, annwyl, Steffan Lewis yn un o'r nifer bychan, arbennig hwn. Ac anhygoel hynny – o gofio mai cwta ddeng mlwydd oed oedd Steff pan gyfarfûm ag ef am y tro cyntaf, yn Nhŷ'r Cyffredin.

Daeth yno i'm gweld gyda'i rieni. Roedd eisoes wedi ysgrifennu ataf, fel Llywydd Plaid Cymru, yn holi am agweddau o bolisi'r Blaid a'r ffordd ymlaen i'n gwlad. Cawsom sgwrs dros baned o goffi, a buom yn trafod am y rhan orau o awr. Roedd gan y bachgen ysgol ifanc hwn res o bwyntiau hynod aeddfed yr oedd am i mi eu hateb. Roedd fel petae'n fy nghyfweld innau, ac ar ddiwedd y sgwrs yn penderfynu y byddai'n ymuno â'n rhengoedd!

Dros y blynyddoedd canlynol buom yn parhau i drafod drwy lythyr. Yn fuan iawn dechreuodd ymddangos yn ein cynadleddau, gan greu argraff gyda'i barodrwydd i fentro barn – a hynny mewn termau deallus iawn i fachgen mor ifanc. Bu cyfnod byr, ac yntau yn ei arddegau, pan deimlai nad oedd y Blaid ar y trywydd cywir, a bu iddo gilio o'n llwyfannau; ond dros dro oedd hynny a buan yr oedd yn ôl yn ein plith: yn procio, beirniadu – ac yn berwi efo syniadau adeiladol.

Roeddwn wrth fy modd pan gafodd Steffan ei ddewis ar ben y rhestr ranbarthol yn Ne-ddwyrain Cymru ar gyfer etholiadau'r Cynulliad yn 2016. Bûm yn canfasio drosto yng Ngwent, a sylweddoli cymaint yr oedd wedi aeddfedu. Ategwyd hyn o wrando arno'n traddodi darlith yn Eisteddfod Genedlaethol y Fenni, 2016, ar Gymreictod Gwent.

Gwelais ynddo y potensial i fod yn arweinydd y Blaid; hyd yn oed yn arweinydd gwlad. Euthum ati i hel pentwr o lyfrynnau a phamffledi o'r pumdegau, i helpu iddo ddeall gwreiddiau'r mudiad cenedlaethol.

Roedd Steffan, fel minnau, yn argyhoeddedig bod rhaid i annibyniaeth Gymreig fod yn gydnaws â'n perthynas glòs â gwledydd eraill Prydain ac Iwerddon; ac mai fframwaith Ewropeaidd ffederal neu gyd-ffederal oedd debycaf o wireddu hynny. Trafodaeth am hyn oedd y sgwrs olaf a gefais gydag ef, yn y Cynulliad, pan oedd erbyn hynny, yn ymwybodol o gyflwr ei iechyd.

Roedd Steff yn siomedig iawn â chanlyniad y refferendwm gadael Undeb Ewrop. Roedd am droi pob carreg i osgoi'r sgileffeithiau – gwleidyddol yn gymaint ag economaidd – a ddeilliai o Frecsit caled. Bu'n cydweithio â Llywodraeth Cymru i lunio'r Papur Gwyn allweddol, 'Diogelu Dyfodol Cymru' a gyhoeddwyd ar y cyd yn enw Carwyn Jones a Leanne Wood.

Dyma gynllun a fyddai wedi osgoi holl helyntion Brecsit sydd wedi llesteirio gwleidyddiaeth Prydain am dair blynedd a mwy wedi'r refferendwm. Gwn fod Mrs May a'i chabinet wedi ystyried y ddogfen yng Ngorffennaf 2018; ond gwaetha'r modd, roeddent yn rhy gibddall i fabwysiadu gweledigaeth Steff.

Petai Steff wedi cael byw, byddai wedi chwarae rhan allweddol yn natblygiad cyfansoddiadol Cymru dros y blynyddoedd tyngedfennol hyn. Bu ei farw yn golled i'r Cynulliad ac i'r genedl – ond yn fwyaf oll, i'w deulu. Gobeithiaf y bydd y gyfrol goffa hon yn gysur i'w wraig Shona a'u mab ifanc, Celyn, i'w fam Gail ac i'w chwiorydd Nia a Siân, ei frawd Dylan, a gweddill y teulu.

Er cof am Steff, ein dyletswydd ni yw ail-ymdynghedu i'r gwaith o adeiladu Cymru Rydd ac Ewrop unedig. Os llwyddwn i gyflawni hynny, caiff Steff orffwys mewn hedd o wybod fod ei gyfraniad amserol wedi gwneud gwahaniaeth sylweddol i ddyfodol ein cenedl. Diolch amdano a melys goffadwriaeth.

Dafydd Wigley
Hydref 2019

To the Leader that never was

THERE ARE SOME people who create an impression from the very first second; and that meeting stays in the mind throughout the years. The first time I met Gwynfor Evans and Dr Phil Williams were all examples; and the electrifying effect of those moments have stayed with me until today.

Meeting the dear deceased Steffan Lewis is one of those very few but special moments. And what is more incredible is the fact that Steffan was barely twelve years old when I met him for the first time in the House of Commons.

He came there to see me with his parents. He had already written to me, as Leader of Plaid Cymru, asking about aspects of Plaid's policy and the way forward for our country. We had a chat over coffee, and spent the best part of an hour discussing ideas. This young schoolboy had a list of extremely mature points he wanted me to answer. It was almost as if he was interviewing me, and at the end of the conversation would be ready to decide whether he would join our ranks!

Over the next few years we continued to discuss matters by letter. Very soon he began to make an appearance in our conferences, making an impact with his willingness to venture his opinions – and to do so in very intelligent terms for such a young boy. There was a short period, as a teenager, when he felt that Plaid Cymru were not on the right track, and he disappeared from our platforms; but that was only temporary and he was soon back in our midst: provoking, critiquing – and bursting with constructive ideas.

I was thrilled when Steffan was chosen on top of the regional list for South Wales East in the 2016 Assembly elections. I canvassed for him in Gwent, and noted how much he had matured. This was confirmed after hearing him presenting a lecture at the National Eisteddfod in the Fenni the same year, about the Welsh characteristics of Gwent.

I saw in him the potential to be Plaid leader; even leader of our country. I set about collecting a pile of booklets and pamphlets from the fifties, in order to help him understand the nationalist movement's roots.

Steffan, like myself, was convinced that Welsh independence had to be consistent with a close relationship with the other UK countries and Ireland; and that a federal or united federal European framework was most likely to make this a reality. This was the subject of the last discussion I had with him, in the Assembly, when he was by then aware of his condition.

Steff was very disappointed with the Referendum result to leave Europe. He wanted to turn every stone to avoid the side effects – political as well as economical – which would emerge from a hard Brexit. He worked alongside the Welsh Assembly to create the key White Paper, 'Securing Wales' Future' jointly published in the names of Carwyn Jones and Leanne Wood.

Here was a plan which would have avoided all the Brexit troubles which have hindered British politics for over three years since the referendum. I know that Mrs May and her cabinet considered the document in July 2018; but sadly, they were too short-sighted to adopt Steff's vision.

If Steff had lived, he would have played a key role in Wales' constitutional development over these critical years. His passing is a loss to the Assembly and to the nation – but most of all, to his family. I hope this memorial book will offer comfort to his wife Shona and their young son Celyn, to his mother Gail, and to his sisters Nia and Siân, his brother Dylan, and the rest of the family.

In memory of Steff, it is our duty to resume the work of building a Free Wales and an united Europe. If we succeed in accomplishing this, Steff can rest in peace knowing that his timely contribution made an enormous difference to the future of our nation. Thank-you for him and sweet remembrance.

Dafydd Wigley
October 2019

DYN CYN EI AMSER

HEN BEN AR ysgwyddau ifanc, dyna fuodd Steffan erioed. Hyd yn oed ar ei enedigaeth, ar y degfed ar hugain o Fai, 1984 yn Ysbyty Brenhinol Gwent, Casnewydd, roedd locsys trwchus y gwallt du wrth ei glustiau yn awgrymu y byddai'r crwt hwn yn ddyn cyn ei amser. Yn wythnosau olaf ei fywyd, dywedodd Steffan mai dyma un o'r pethau oedd yn peri'r tristwch mwyaf. Roedd cymaint o bethau yr oedd eto am eu cyflawni, a'i ddyhead mwyaf wrth gwrs oedd i weld ei fab, Celyn, yn tyfu'n ddyn ac yn ffynnu trwy gariad diamod ei dad a'i fam, Shona.

Ganwyd Celyn yn yr un ysbyty â'i dad, ac fe'i magwyd yn ystod ei flynyddoedd cyntaf yn y Coed-duon, ger cartref cyntaf Steffan yn Crosskeys. Dyna lle bu Steffan yn byw gyda'i rieni, Mark a Gail, a'i frawd a'i chwaer, Dylan a Siân. Pan ddaeth y briodas i ben ym 1996 symudodd Steffan gyda'i fam a'i chwaer i Dredegar.

Roedd dwy iaith ar yr aelwyd – Cymraeg gan Mam a Saesneg oedd iaith Dad – ond roedd y ddau mor falch â'i gilydd o gael magu plant dwyieithog. Roedd cartrefi'r ddau yn llawn llyfrau, a'r plant yn cael eu hannog i'w darllen ac i drafod y byd a'i bethau, gan gynnwys gwleidyddiaeth, ar bob cyfle posib. Doedd dim syndod felly i Steffan synnu ei athrawon yn Uned Gymraeg Ysgol Sofrydd, Abertyleri, ac yn Ysgol Gymraeg Cwm Gwyddon yn Abercarn gyda'i allu i drafod a mynegi barn am yr hyn oedd yn y newyddion ac am faterion cyfoes. Roedd ei hiwmor hefyd yn chwedlonol, hyd yn oed bryd hynny, gydag un athro, Mr Alun Williams, yn nodi yn ei adroddiad diwedd blwyddyn ysgol: 'Ma Steffan yn dipyn o gymeriad!'

Yn ôl ei fam, fe ddatblygodd Steff ei angerdd dros gyfiawnder cymdeithasol yn gynnar iawn yn ei fywyd, gan roi'r byd yn ei le'n aml wrth y bwrdd bwyd. Roedd y ddau yn darllen ac yn dadansoddi erthyglau'r *Western Mail* gyda'i gilydd, gyda Gail yn uwcholeuo ac yn torri mas y darnau y tybiai hi a fyddai o ddiddordeb iddo. O bryd i'w gilydd byddai Steffan yn aros yn eiddgar tan bod ei fam yn smwddio, gan wybod y byddai ganddi hi glust rydd bryd hynny i wrando arno'n cnoi cil dros y syniadau diweddaraf oedd wedi bod yn ymgasglu yn ei ben. Fe fyddai hithau yn synnu at aeddfedrwydd y dadansoddi oedd yn tasgu o enau ei bachgen ifanc. Er ei fod yn gweithio oriau hwyr, fe fyddai ei dad, Mark, yn gwrando ar ddamcaniaethau diweddaraf ei fab hefyd cyn amser gwely, ac fe fyddai wrth ei fodd yn dod adref i glywed Steffan yn holi a stilio a herio yng nghysur ei byjamas. Yn aml, byddai'r cwestiynau hynny am Gymru – am hanes y genedl, am iaith a chymuned, ac am wladgarwch. Mark a Gail oedd wedi cyflwyno'r llanc ifanc i Blaid Cymru – yn gyntaf drwy drafod gwleidyddiaeth y Blaid a'i addysgu am ei harweinwyr, ac yn y pen draw aeth Mark â'i fab i gyfarfod cangen leol y Blaid. Mewn cyfweliad ar *Beti a'i Phobol* yn 2018, dywedodd Steff wrth Beti George mai dyma oedd ei atgof o'r cyfarfod hwnnw:

> Fi'n cofio dadlau enfawr, soi'n hyd yn oed yn cofio am beth oedd y dadlau, ond wy'n cofio meddwl, 'Wow, ma hyn yn *brilliant*, ma oedolion yn siarad fel hyn gyda'i gilydd?' Ac o'n i'n meddwl, 'Ie, fi'n moyn bod yn rhan o hyn'.

Yn y cyfarfodydd hynny, daeth Steffan i adnabod menyw a fyddai'n fentor iddo am weddill ei fywyd – Jocelyn Davies, a fyddai'n dod yn un o weinidogion yn llywodraeth gyntaf Plaid Cymru. Roedd llwyddiant cymharol ei hymgyrch etholiadol hi yn Is-etholiad Islwyn 1995 yn sbardun pellach i angerdd y bachgen ifanc a oedd wedi ei ysbrydoli gan y Mudiad Cenedlaethol ers rhai blynyddoedd erbyn hyn.

Yn wyth oed, un digwyddiad a gydiodd yn nychymyg Steffan oedd arestio Dewi Prysor Williams dan amheuaeth o fod yn rhan o ymgyrch fomio tai haf Meibion Glyndŵr. Roedd Dewi Prysor a Siôn Aubrey Roberts wedi eu cyhuddo o gynllwynio i achosi ffrwydradau, ac fe gafodd Prysor ei gadw'n y ddalfa am 14 mis yn aros am ei achos llys, cyn ei gael yn ddi-euog a'i ryddhau ym mis Mawrth 1993. Roedd Steffan yn gwbl grediniol fod Dewi Prysor wedi ei garacharu ar gam, ac fe berswadiodd ei fam a'i dad i ysgrifennu ato yng ngharchar Walton yn Lerpwl i ddatgan eu cefnogaeth ar ran y teulu cyfan. Daeth ateb o'r carchar, ac fe gafodd rhan o'r llythyr hwnnw gryn effaith ar y Steffan ifanc. Yn ei lythyr dywedodd Dewi Prysor:

> Yn fy achos personol i, teimlaf fy hun yn cryfhau bob awr o bob dydd, a fy mhenderfyniad i ymrwymo fy hun i ymgyrchu dros fy ngwlad a'm pobl yn cael ei atgyfnerthu bob munud. Ni all neb roi ysbryd, enaid, a gweledigaeth am ryddid yn y carchar. Ni ellir carcharu na lladd y syniad, na'r angen, am gyfiawnder a rhyddid. Mae'r ysbryd yn dal i fyrlymu yn fy ngwaed o hyd, ac yno y bydd am byth. Rhaid cael rhyddid i Gymru.

Wrth iddo aeddfedu a pharatoi i fynd i Ysgol Gyfun Gwynllyw, ysgol uwchradd Gymraeg gyntaf Gwent, ym 1995 teimlodd Steffan yr angen i ddarganfod mwy am Gymru a rhannu ei syniadau ei hun gyda chynulleidfa ehangach. Yn hytrach na chodi cwestiynau yn unig, roedd Steffan erbyn hyn yn mynnu atebion hefyd, a'r rheini yn atebion i gwestiynau oedd y tu hwnt i'w sffêr nhw o wybodaeth. Dim ond un peth oedd amdani, meddai Gail, sef rhoi teipiadur Smith Corona i'w mab a chaniatáu iddo holi'r rheini fyddai'n gallu rhoi'r atebion iddo. Roedd yn amlwg o gyfweliad Steffan gyda Beti George ei fod wedi gwerthfawrogi'n fawr yr anogaeth a gafodd gan ei deulu:

> Un o'r pethe o'n i'n ffodus iawn o'dd, os nad o'dd gen fy rhieni'r atebion i'r cwestiynau anodd o'n i'n gofyn fel crwtyn ifanc, o'n nhw'n help mawr i fi sgwennu at y bobol gyda'r atebion.

O 1995 ymlaen, dechreuodd yr ymatebion i'r llythyrau hynny gyrraedd y tŷ – o San Steffan, o bencadlys Plaid Cymru, o Dŷ'r Arglwyddi ac oddi wrth bleidiau cenedlaetholgar gwledydd eraill. Roedd yna gryn chwerthin yn y tŷ wrth iddynt geisio dyfalu beth fyddai'r postmon yn meddwl o'r holl lythyrau fyddai'n cyrraedd gyda 'House of Commons' wedi ei argraffu dros yr amlenni. Byddai Aelod Seneddol Caernarfon ar y pryd, Dafydd Wigley, bob amser yn cydnabod y llythyrau gan Steff ac yn ymateb iddynt. Roedd ei lythyrau am y Gyngres Geltaidd, am blatiau cofrestru moduron, am ddyfodol y Frenhinaeth, am wisgo pabi gwyn, am lysgenhadon i Gymru ac am lu o bynciau eraill. Datblygodd ei ddiddordeb cymaint nes y cafodd wahoddiad i fynd i'r Senedd, yn un ar ddeg oed, i gwrdd ag Aelodau Seneddol Plaid Cymru. Yn ei theyrnged i Steffan yn ystod ei angladd, rhoddodd Jocelyn Davies y disgrifiad canlynol o'r ymweliad hwnnw:

> Bachgen ysgol oedd e pan ymwelodd e gyntaf â Thŷ'r Cyffredin ar wahoddiad Dafydd Wigley – wedi i Steffan ysgrifennu un o'i lythyron, wrth gwrs. Dywedodd Dafydd iddo gael ei daro ar unwaith gan ŵr ifanc a oedd yn angerddol dros Gymru; a oedd eisoes wedi dechrau deall gwleidyddiaeth; ac a oedd yn aeddfed y tu hwnt i'w oedran.

Roedd yna lythyru hefyd gyda Llywydd Anrhydeddus Plaid Cymru, Gwynfor Evans, ac mi anfonodd Gwynfor gerdyn Nadolig i Dredegar bob blwyddyn ar ôl hynny. Roedd un ohonynt yn arbennig yn cael ei drysori. Yn hwnnw, roedd Gwynfor wedi datgan mai 'achos llawenydd' oedd dilyn datblygiad Steffan, ac roedd y geiriau hyn yn golygu cymaint i'r crwt ifanc. Yn ddeg oed, roedd Steff wedi ysgrifennu rhestr o lyfrau yr oedd am dderbyn fel anrheg Nadolig ar ôl iddo ddarllen amdanynt mewn taflen gan Gymdeithas yr Iaith. Un o'r llyfrau oedd llyfr Gwynfor, *Land of my Fathers*. Ar ôl darllen hwnnw, gofynnodd Steff am gael cyfle i gwrdd â Gwynfor. Trefnwyd hyn, ac fe deithiodd Steffan gyda'i dad i gartref

Llythyr Dewi Prysor o garchar
Walton yn Lerpwl i'r Steffan ifanc.

Fe fyddai Gwynfor Evans yn anfon
cerdyn Nadolig i Dredegar bob
blwyddyn.

Gwynfor ym Mhencarreg ar gyfer y cyfarfod. Yn ogystal â bod yn ddigwyddiad bythgofiadwy i'r Steffan ifanc, roedd yn un a'i hysbrydolodd i fod eisiau gwneud cyfraniad ei hun yn y byd gwleidyddol.

Mewn e-bost at Gail ar ôl marwolaeth Steffan, ysgrifennodd Miss Helen Rogers, un o gyn-athrawon Steff yn Ysgol Gyfun Gwynllyw, ei bod yn ei gofio yn cyflwyno'i hun yn yr ysgol gyda chopi o *Land of my Fathers* yn ei law, gan ddatgan fod ganddo uchelgais i fod yn Brif Weinidog Cymru rhyw ddydd:

> Roedd Steff yn annwyl iawn ac yr oedd yn y dosbarth cyntaf ddysgais yma yng Ngwynllyw 'nôl ym mis Medi 1995 a mae'r atgof hynny wedi aros yn y cof. Cyflwynodd ei hun yn ystod y wers honno a dweud wrth bawb ei fod yn Gymro balch o Dredegar a'i ddiddordeb oedd gwleidyddiaeth. Dangosodd y llyfr oedd yn darllen ar y pryd i bawb, sef llyfr Gwynfor Evans, a dweud taw ef oedd ei arwr. Rhannodd ei uchelgais, sef i ddod yn Brif Weinidog ar Gymru a hynny yn 11 oed ac yn sicr fe gyflawnodd tipyn o'r uchelgais hynny.

Rhwng dylanwad ei dad a thrwy lyfrau Gwynfor Evans, datblygodd Steffan ddiddordeb brwd yn hanes ei wlad. Yn ystod gwyliau'r ysgol, byddai Mark yn mynd â Steffan a Siân i ymweld â chestyll a safleoedd hanesyddol eraill Cymru, gan adrodd yr hanes lleol a chenedlaethol wrth y plant. Flynyddoedd wedyn, ar ôl i Gail ailbriodi â Neil a chael plentyn arall, Nia, penderfynodd Steffan mai ei ddyletswydd ef oedd sicrhau bod Nia yn deall hanes Cymru hefyd. Mae ei chwaer fach yn cofio'r gwibdeithiau cyson hynny gyda'i brawd mawr:

> Wrth imi dyfu'n hŷn, sicrhaodd Steff fy mod yn ymwybodol o hanes cyfoethog Cymru a phwysigrwydd ymfalchïo yn ein diwylliant a'n hanes drwy fynd â fi i bron bob un castell yng Nghymru erbyn i mi gyrraedd deuddeg oed. Rwy'n teimlo'n hynod o lwcus fy mod i wedi cael yr amser yma gyda Steff gan na fyddwn i'r person yr wyf heddiw hebddo.

HOUSE OF COMMONS
LONDON SW1A 0AA

7 Mehefin, 1995

Mr Steffan Lewis,
29 Gladstone Street,
Crosskeys,
Newport,
Gwent NP1 7PL

Annwyl Steffan,

Diolch yn fawr i chwi am y llythyr 27 Mai. Roeddwn yn falch eich bod wedi mwynhau'r ymweliad â'r Senedd. Mae croeso i chwi gadw mewn cysylltiad â mi ynglyn â gwaith y Senedd ac ynglyn ag ymgyrchoedd Plaid Cymru.

Pob dymuniad da.

Yn gywir iawn,

Dafydd Wigley AS
(Caernarfon)

---

10 Tachwedd, 1995

Steffan Lewis,
29 Stryd Glaston,
Crosskeys,
Casnewydd,
Gwent.

Annwyl Steffan,

Diolch yn fawr i chi am eich llythyr dyddiedig 27 Hydref. Difyr iawn oedd nodi eich cysylltiadau gyda'r mudiadau Celtaidd yng Ngherrnyw ac Ynys Manaw.

O'm mhrofiad i o deithio ar y cyfandir, nid oes rhaid bellach o fod a 'GB' ar gar - mae platiau rhifau ar fodurion yn unigryw i bob un o'r aelodau'r Gymuned Ewropeaidd, ac mae hyn yn ddigon iddynt allu dweud o ba wlad y mae'r cerbyd yn dod. Rwyf innau, wrth gwrs, wedi defnyddio 'CYM' ar y modur pan fum dramor yn y gorffennol.

Nodais yr hyn a ddywedsoch ynglyn â Chynhadledd Plaid Cymru ym mis Medi yn Aberdâr. Bydd y Gynhadledd Flynyddol nesaf'yn Llandudno rhwng 19 a 23 Medi 1996. Mae gan bob aelod o Blaid Cymru yr hawl i siarad yn y Gynhadledd (a chymeryd ei fod yn cael ei alw gan y Cadeirydd!) ond cynrychiolyddion canghennau yn unig sydd â'r hawl i bleidleisio.

Roeddech yn holi am y ffurflen ymaelodi ym Mhlaid Cymru. Rwyf yn gofyn i Brif Weithredwr y Blaid anfon un atoch.

Pob dymuniad da.

Yn gywir iawn,

Dafydd Wigley AS
(Caernarfon)

---

18 Ebrill 1996

Steffan Lewis,
29 Stryd Gladstone,
Cross Keys,
Casnewydd,
Gwent NP1

Annwyl Steffan,

Diolch yn fawr i chi am eich llythyr pellach dyddiedig 6 Ebrill.

Fel y byddwch yn gwybod, mae dau fath o arian: mae'r gyfundrefn arian sydd fel arfer yn dibynnu ar gallu unrhyw wlad sy'n meddu ar gyfundrefn arian annibynnol, i reolu eu heconomi, i basio deddfau ar ymwneud â chyllid, ac i fod â'u banc canolog eu hunain. Hyd nes y caiff Cymru hunan-lywodraeth bydd hyn, yn anffodus, yn amhosibl. Wedi cael hunan-lywodraedd bydd yn bosibilrwydd.

Y math arall o arian yw'r math a ddefnyddiwn yn ein pocedi. Mae'n ddigon posibl, wrth gwrs, i Gymru fod â punt gwahanol i bunt Lloegr - yn wir dyna yw'r sefyllfa ar hyn o bryd; ac mae gan yr Alban, fel y dywedwch, bapur punt yn dal i gylchredeg. Ond, nid oes gan yr Alban yr hawl i amrywio gwerth eu punt hwy yn erbyn y bunt Seisnig, dyweder, oherwydd eu bod yn rhan o'r un wladwriaeth.

Am flynyddoedd bu'r Iwerddon â phunt a oedd yn ymddangos yn wahanol ond oedd pob amser â'r un gwerth a'r bunt Seisnig. Penderfynodd yr Iwerddon, rhai blynyddoedd ôl, i ddatgysylltu ac erbyn hyn mae'r bunt Wyddelig gwerth mwy na'r bunt Seisnig.

Gall y ffactorau hyn, wrth gwrs, newid pan fydd yr ERM yn symud ymlaen o fewn y gyfundrefn Ewropeaidd, a'r cwestiwn felly yw beth fydd y gyfundrefn Ewropeaidd pan caiff Cymru ei llywodraeth ei hun.

Diolch yn fawr i chi am ysgrifennu.

Pob dymuniad da.

Yn gywir iawn,

Dafydd Wigley AS
(Caernarfon)

Rhai o ymatebion Dafydd Wigley
i Steffan, y crwt ysgol.

Roedd Steffan, drwy ei fywyd, yn credu'n gryf yn yr angen i ddeall ein gorffennol er mwyn medru llywio dyfodol gwell i'n gwlad ac i ni'n hunain. Mae Neil, llysdad Steff, yn cofio dod i adnabod y bachgen ysgol ifanc a chael ei gyfareddu gan ei wybodaeth am hanes yr ardal, yr adeiladau lleol a'i allu i ddehongli hynny yng nghyd-destun sefyllfa bresennol Gwent.

Roedd deall hanes ei deulu ei hun yn bwysig i Steffan hefyd ac roedd yn ymfalchïo yn ei gysylltiadau Celtaidd ar ôl darganfod bod gwreiddiau ei dad yn Iwerddon. Fe ymchwiliodd i'r hanes ac mi ddaeth i'r amlwg bod yr ochr yna o'r teulu wedi gadael Iwerddon am Lerpwl, cyn teithio i Gaerdydd yn ystod cyfnod y newyn mawr, ac roedd Steffan yn aml yn dweud fod gwybod hyn yn bwysig iawn iddo ac wedi dylanwadu ar ei wleidyddiaeth a'i hunaniaeth.

Serch hynny, roedd Steffan yn ymwrthod ag unrhyw demtasiwn i ramantu'n ormodol am y gorffennol neu am y Gymru a fu. Roedd ei weledigaeth ef, o oedran ifanc iawn, yn seiliedig ar greu Cymru newydd, hyderus ac ymwrthod â rhai o arferion y wladwriaeth Brydeinig oedd yn gwneud y Cymry, meddai ef, yn 'daeogaidd'. Yn ddeuddeg oed, er enghraifft, ysgrifennodd Steffan at yr Archdderwydd ar y pryd, Dafydd Rowlands, gan ddweud ei fod am weld Cymry yn ymwrthod â rhestr anrhydeddau'r Frenhines, ac yn hytrach y dylid creu system amgen oedd yn caniatáu i Gymry gydnabod llwyddiannau eu cyd-wladwyr. Ymatebodd yr Archdderwydd gan ddweud bod hyn yn syniad gwych, ac fe ddiolchodd iddo am ei gyfraniad drwy anfon tocynnau i Steff a'i deulu er mwyn iddynt fynychu seremoni'r cadeirio yn yr Eisteddfod Genedlaethol.

Mae'n bosib iawn mai'r seremoni honno ddylanwadodd ar Steff i gystadlu, ac yna i ennill, yr hyn a ddisgrifiai ei athrawes fel 'y dwbl' yn Eisteddfod Ysgol Gyfun Gwynllyw – y Gadair a'r tlws am ysgrifennu'n Saesneg – a'r thema wrth gwrs oedd Cymru a Chymreictod.

Nid dyna'r unig reswm serch hynny pam yr oedd Steffan Lewis yn gymeriad diddorol ac adnabyddus i'w gyd-ddisgyblion a'i athrawon yn Ysgol Gwynllyw. Ym 1997, fe ddaliodd sylw'r wasg a'r cyfryngau ar ôl traddodi araith ar lwyfan Cynhadledd Plaid Cymru yn Aberystwyth, yn bedair ar ddeg oed. Fe wnaeth gryn argraff bryd hynny. Roedd sawl un yn gwneud y gymhariaeth ag araith cyn Arweinydd y Torïaid, William Hague, yng nghynhadledd y Blaid Geidwadol pan oedd yn un ar bymtheg oed. '*Late bloomer* oedd Hague' fyddai ymateb direidus Steff.

Roedd gan Steffan ddiddordebau ehangach hefyd. Gyda'i frawd, Dylan, a'i lysdad, Neil, byddai Steffan yn rhannu ei gariad am bêl-droed tra roedd yn blentyn trwy oriau o greu pencampwriaethau Subbuteo. Yn ddiweddarach fe ddaeth yn gefnogwr brwd i dimau Wrecsam, ac yn gefnogwr oes i Celtic a Chymru wrth gwrs! Ar raglen *Beti a'i Phobol*, esboniodd Steffan ei reswm dros gefnogi clwb Celtic, a sut yr oedd, wrth ddod yn fwy ymwybodol o'i hunaniaeth Geltaidd, wedi dod ar draws clwb pêl-droed yn Glasgow oedd wedi cael ei 'ffurfio gan ffoaduriaid Gwyddelig'. Roedd 'The Celtic Football Club' wedi cael ei enwi felly er mwyn dod a'r Albanwyr a'r Gwyddelod at ei gilydd, ac un o hoff ganeuon Steffan oedd cân gâi ei chanu ar y teras gan gefnogwyr Celtic, 'The Fields of Athenry'. O dro i dro, byddai Steffan yn canu yn eu plith nhw, weithiau gyda'i wraig Shona neu ei lysdad Neil yn gwmni iddo, pan fyddai cyfle i deithio i weld y clwb yn chwarae.

Mae Nia, chwaer Steff, yn dweud mai un o'r atgofion cyntaf sydd ganddi o'i brawd mawr yw pan gafodd gwtsh ganddo ar y soffa adref yn Nhredegar, wrth iddo chwifio ei dwylo o ochr i ochr er mwyn dysgu pob gair o'r gân i'r ferch fach.

Byddai Steffan yn canu 'The Fields of Athenry' i'w fab hefyd pan oedd yn fabi, ac roedd Steff ar ei hapusaf pan roedd Celyn wrth ei ochr, neu yn ei freichiau, yn gwylio pêl-droed gyda'i gilydd. 'The Fields of Athenry' oedd y gân ddewisodd Steff i'w angladd, pan aeth ei arch ar ei siwrnai olaf ar ysgwyddau ei ffrindiau allan o Eglwys Gymraeg Abercarn.

Pan gafodd etholiadau cyntaf y Cynulliad Cenedlaethol eu cynnal ym 1999, roedd gwleidydd arall oedd wedi ennyn edmygedd Steffan, sef yr Athro Phil Williams oedd yn sefyll dros Blaid Cymru ym Mlaenau Gwent. Roedd Steffan yn gwneud ei arholiadau ar y pryd, ac roedd yr amser yr oedd yn ei neilltuo i astudio, o gymharu â'r oriau dyddiol o ymgyrchu, yn destun pryder i'w fam. Dyma ysgrifennodd cyn-Ysgrifennydd Cyffredinol Plaid Cymru, Dafydd Williams, am gyfraniad Steffan i'r ymgyrch honno:

> Fe ddes i adnabod Steffan yn ystod yr etholiadau cyntaf i'r Cynulliad Cenedlaethol ym 1999. Phil Williams oedd ymgeisydd y Blaid yn etholaeth Blaenau Gwent ac fel cyfaill iddo ef a chyn-Ysgrifennydd Cyffredinol Plaid Cymru fe fues i'n rhan o'r ymgyrch fywiog a weinyddid o'n swyddfa yn y stryd fawr yn Nhredegar. Byddai Steffan yn dod yn rheolaidd, yn troi lan bron bob dydd ar ôl i'r ysgol ddod i ben... roedd yn amlwg i bawb fod gydag ef botensial sylweddol.

Roedd Phil Williams ei hun hefyd wedi adnabod y potensial oedd gan Steffan i gyfrannu i'r byd gwleidyddol ac fe dreuliodd oriau ar eu hyd yng nghartref Steffan yn Nhredegar yn trafod ei syniadau a'i weledigaeth.

Wedi'r etholiad ym 1999 cysylltodd Steffan â Jocelyn Davies, oedd newydd ei hethol fel un o Aelodau Cynulliad y De-ddwyrain, ac fe wnaeth gais i fynd ar brofiad gwaith gyda hi yn y Cynulliad. Mae Jocelyn yn cofio ei frwdfrydedd a'i gyffro:

> Bu'n ein helpu yn etholiadau Cynulliad hanesyddol 1999, a ches i ddim syndod pan gysylltodd â fi wedyn ynghylch profiad gwaith yn y Bae. 15 oed oedd e ac fe dreuliodd yr haf cyntaf hwnnw yn ffeindio'i ffordd i lawr o Dredegar i'n helpu i ac i ddysgu, yn cwrdd â phawb a jest bod yn rhan o'r cyffro i gyd – a dwi'n amau dim nad eisteddodd e yn fy nghadair i weld a oedd yn gweddu iddo fe pan o'n i mas o'r stafell. Cynllunio'n barod, dim dowt. Ar y siwrneiau adre gyda Mike a finnau yn y car fe soniodd am ei gynlluniau ar gyfer Lefel A, am hanes Cymru (rwy'n credu ei fod wedi ymweld â phob castell yn y wlad) ac am yr hyn roedd datganoli yn ei olygu iddo fe – gwawr Cymru newydd.

Roedd Steffan yn ysu am fod yn rhan o'r Gymru ddatganoledig newydd ond roedd yn ymwybodol iawn o'r angen i astudio ymhellach, i ymgeisio am radd Prifysgol yn gyntaf ac i ddysgu mwy am y byd.

Ar ôl gadael Ysgol Gwynllyw, fe weithiodd am gyfnod yn y Deml Heddwch yng Nghaerdydd, gan ddod i adnabod dau a ddaeth yn ffrindiau oes mynwesol iddo, Stephen Thomas a'r Parchedig Aled Edwards. Ar ôl ei gyfnod yn gweithio yng Nghaerdydd, teithiodd i'r Unol Daleithiau gan dreulio tipyn o amser yno, cyn dychwelyd i Gaerdydd i ailafael yn ei astudiaethau ym mhrifysgol y brifddinas, a'r tro hwn Astudiaethau Crefyddol aeth â'i fryd.

Yn ystod y cyfnod hwnnw, roedd y sefyllfa wleidyddol yn y Cynulliad yn helbulus ac, ym meddwl Steffan, roedd sawl datblygiad wedi gwneud i'r sefydliad deimlo'n wan ac yn fregus. Ymddiswyddodd Alun Michael fel Prif Ysgrifennydd y Cynulliad, roedd cweryla cyson ym Mhlaid Cymru ac roedd y dyn ifanc hwn o Went, a oedd wedi ei gyffroi gymaint yn y lle cyntaf gan ddyfodiad datganoli, yn dechrau colli amynedd a brwdfrydedd. Mae Jocelyn Davies yn deall pam yr oedd Steffan mor rhwystredig ar y pryd:

> Fe gollon ni gysylltiad â'n ffrind ifanc... a dywedodd wrtha i wedyn ei fod yn ystod y cyfnod hwnnw wedi fflyrtio gyda Phlaid Annibyniaeth Cymru. Rwy'n credu iddo deimlo dadrithiad dwfn pan ddaeth hi'n gwbl amlwg nad oedd y pwerau a oedd gan y Cynulliad bryd hynny yn mynd i godi'r Gymru yr oedd e'n disgwyl ei gweld.

Ond yn y cyfnod hwnnw hefyd, daeth Steffan i gyfarfod â'r person a fyddai'n trawsnewid ei fywyd gan agor y bennod bwysicaf oll iddo. Mewn tafarn yng Nghaerdydd, ym mis Ionawr 2006, dechreuodd Steffan sgwrsio gyda merch ifanc oedd yn ymweld â'n prifddinas, sef Shona Douglas o Inverness.

Roedd tad-cu Shona ar ochr ei Mam, sef 'Papa' i Shona, wedi ei eni yng Nghaerdydd – ac roedd gan yr Albanes ifanc deulu yn byw ym Mhenarth, sef mam ei chwaer, 'Auntie Ann', ei gŵr a'u plant. Roedd Shona, ei chwaer Caroline, a'u mam yn ymweld â Phenarth ac ar un achlysur aeth y cefndryd am noson mas gyda'i gilydd. Y Buffalo Bar yn y brifddinas oedd lleoliad cyfarfyddiad cyntaf Shona â'r Cymro ifanc ac mae'n disgrifio'r foment fel 'cyfarfod rhywun y ffordd hen ffasiwn, cyfarfod ar hap mewn tafarn gyda pherson yr o'n i'n gwybod mod i eisiau iddo fod yn rhan o fy mywyd er gwaetha'r pellter rhyngddom ni'. Fe wnaeth y ddau gyfnewid rhifau ffôn, ac fe ddilynwyd hynny gan negeseuon testun a galwadau. O fewn wythnosau roedd Steffan wedi teithio i Inverness i weld Shona. Roedd wedi awgrymu y byddai'n bosib i'r ddau gwrdd yn ystod un o'i ymweliadau â Glasgow i weld Celtic yn chwarae. Ond mewn gwirionedd dewisodd Steffan anghofio am fynd i weld y pêl-droed, ac er mawr syndod i Shona, teithiodd yn syth ati hi, yn Inverness.

Bythefnos yn ddiweddarach, teithiodd Shona i weld ei chariad newydd yng Nghaerdydd, a dyma fel yr oedd hi am fisoedd cyntaf 2006 – y naill yn teithio'r 555 milltir i weld y llall unwaith bob pythefnos a'u cariad yn cryfhau gyda phob ymweliad.

Roedd Steffan erbyn hyn wedi ymbellhau oddi wrth y Blaid, yn rhannol oherwydd ei siom gyda datganoli ond hefyd er mwyn ceisio darganfod pa lwybr yr oedd am ei ddilyn yn ei yrfa.

Erbyn diwedd mis Ebrill, roedd ei hen ffrindiau yn rhanbarth De-ddwyrain Cymru yn lladd nadredd yn ceisio dod o hyd iddo ar frys, ar ôl rhai blynyddoedd o golli cysylltiad. Roedd Aelod Seneddol ac Aelod Cynulliad Blaenau Gwent, Peter Law, wedi marw, gan greu dau is-etholiad yn yr etholaeth – un i San Steffan ac un i'r Cynulliad. Roedd Plaid Cymru wedi penderfynu na fyddent yn brwydro'n galed yn is-etholiad y Cynulliad gan fod Trish Law yn sefyll fel ymgeisydd annibynnol. Gweddw'r diweddar Peter Law oedd Trish, ac roedd hi'n agos yn wleidyddol, ac ar lefel bersonol, at Jocelyn a'r Blaid. Roedd y Blaid am frwydro'n galetach serch hynny yn yr is-etholiad ar

gyfer sedd San Steffan, a hynny yn erbyn Owen Smith o'r Blaid
Lafur a'r annibynnwr Dai Davies. Roedd angen ymgeisydd lleol,
cryf a chredadwy ar Blaid Cymru ac, er yr amheuon a oedd gan
ambell unigolyn, roedd yr AC rhanbarthol, Jocelyn Davies, yn
grediniol mai Steffan Lewis ddylai'r ymgeisydd hwnnw fod.

Yn y pen draw, llwyddodd Jocelyn i ddod o hyd i Steffan ac
fe gytunodd i ailymuno â'r Blaid a sefyll fel ymgeisydd seneddol
Blaenau Gwent.

Yng nghylchgrawn *Barn* wedi marwolaeth Steff,
ysgrifennodd Jonathan Edwards – oedd yn gweithio fel
strategydd i'r Blaid bryd hynny cyn dod yn Aelod Seneddol ei
hun yn ddiweddarach – ei fod yn cofio'r trafodaethau cynnar
am ymgeisyddiaeth y llanc ifanc o Dredegar. Roedd yn cofio
hefyd sut roedd ei berfformiad yn yr etholiad hwnnw wedi atal
y Blaid Lafur rhag cipio'r sedd:

> Rhaid dweud roedd gen i rai amheuon am y syniad o osod crwt 22
> oed i mewn i bwll tân is-etholiad seneddol. Diflannodd yr amheuon
> hynny ar ôl pum munud yn ei gwmni wrth drafod yr ymgyrch
> i ddod. Roeddwn yn ymwybodol fy mod yn delio gyda thalent
> wleidyddol aruthrol.
>
> Roedd yn bleser cydweithio gyda Steffan fel ymgeisydd. Ges i
> ddim un gair o gŵyn ganddo ac ymroddiad llwyr er bod y sefyllfa
> yn un anobeithiol. Y peth mwyaf rhyfeddol am Steffan oedd ei
> aeddfedrwydd ac heb amheuaeth efe oedd seren y dadleuon teledu,
> er gwaethaf i Lafur ddewis un o'u gwleidyddion mwyaf talentog
> – Owen Smith.
>
> Os ydych am unrhyw syniad o allu'r gŵr o Dredegar,
> edrychwch ar y canlyniadau. Cododd pleidlais y Blaid yn yr
> etholiad Seneddol o 4.1% tra'n syrthio ar lefel Cynulliad o 5.5%.
> Perfformiad Steffan oedd un o'r prif resymau i Dai Davies yr
> Annibynnwr gipio'r sedd.

Er ei bod yn dal i fyw yn Inverness, fe fu Shona'n ymweld
â Chymru i gefnogi Steffan yn ystod yr ymgyrch etholiadol
ym 2006. Dyma oedd ei chyflwyniad cyntaf i Flaenau Gwent,
i'r Cymoedd ac i wleidyddiaeth ei chariad newydd. Er i
Steff bwysleisio wrth Shona na fyddai'n ceisio gorfodi ei

wleidyddiaeth arni hi, roedd ganddi hi awydd gwybod mwy am Blaid Cymru. Aeth allan i ymgyrchu gydag e, profiad newydd iddi, ac mae'r atgof o ganfasio a dosbarthu taflenni wrth ochr ei phartner newydd yn un hapus i Shona.

'Yn ystod yr ymweliad hwnnw, wrth yrru car ei fam, fe wrandawon ni ar y gân ddewisodd Steff yn ei gyfweliad gyda Beti George,' meddai Shona, wrth gyfeirio at 'Blaenau Ffestiniog', cân Y Tebot Piws. 'Roedd wastad yn dod â chymaint o atgofion hapus i'r ddau ohonom dros y blynyddoedd wrth i ni gofio ein misoedd cyntaf gyda'n gilydd.'

Roedd Shona wrth ei bodd wrth gwrs yn gweld Steffan mor hapus. Mae'n cofio sut y byddai'n mwynhau siarad â thrigolion ei filltir sgwâr ac ymgyrchu yng nghwmni ei ffrindiau yn y Blaid – boed ym Mlaenau Gwent, neu yn ddiweddarach pan oedd y ddau yn byw yn y Coed-duon ac yntau'n sefyll fel ymgeisydd seneddol yn Islwyn yn 2010:

> Roedd e ar ben ei ddigon yn siarad â phobl, y trigolion lleol, neu wrth fwynhau agwedd gymdeithasol ymgyrchu. Roedd e mas yn aml ar fore Sul yn mwynhau cwmni ei ffrindiau wrth ddosbarthu taflenni.

Roedd y tîm o ffrindiau a wnaeth yn ystod is-etholiad 2006 yn rhai a barhaodd yn rhan bwsig iawn o fywyd Steffan am flynyddoedd i ddod – er bod y criw agos, lleol hwn dros ddwywaith ei oedran. Yn eu plith roedd Glyn Erasmus, a ddaeth yn drysorydd Plaid Cymru yn ddiweddarach – dyn oedd yn sych ei hiwmor, yn glir ei farn, a rhywun oedd yn trin Steffan fel mab arall iddo fe a'i wraig, Carol. Un arall oedd y cenedlaetholwr diymhongar, Jim Criddle, yn ogystal â Malcolm Parker, y rhedwr brwd a'r ymgyrchydd diflino. Yn Steffan, fe gafodd Malcolm rywun i wrando'n eiddgar ar yr hen hanesion oedd ganddo am y mudiad cenedlaethol yng Ngwent, ac roedd Steff yn mwynhau pob eiliad a chlywed phob hanesyn am ddatblygiad y Blaid yn yr ardal. Gyda'i gyngor doeth, roedd Glanmor Bowen-Knight yn rhan o'r criw hefyd. Gan ei fod mewn cadair olwyn ac felly'n ei chael yn anodd ymuno yn yr ymgyrchu, roedd Glanmor yn gwahodd y lleill i gnoi cil dros y byd a'i bethau yn ei fflat gyda'r hwyr, a dyna lle bydden nhw, yn cynllwynio ac yn cynllunio. Roedd fel golygfa o'r hen gyfres gomedi ar y BBC, *The Last of the Summer Wine*, yn ôl Jocelyn Davies – roedd Steff wedi ei dderbyn i'w plith fel ffrind mynwesol, ac fe fydden nhw'n aml yn parhau â'r cynllwyno wrth iddynt deithio gyda'i gilydd i gynadleddau a chyfarfodydd Cyngor Cenedlaethol y Blaid.

Yn ystod hanner cyntaf 2006, fe wnaeth Steffan dri phenderfyniad mawr yn ei fywyd. Roedd e mewn cariad â Shona, ac yn benderfynol ei fod am iddi fod yn rhan o'i fywyd am byth. Roedd e am roi'r gorau i'w wrs ym Mhrifysgol Caerdydd er mwyn dod o hyd i'r llwybr oedd yn iawn iddo fe a chwilio am y cyfeiriad iawn i'w fywyd. Roedd hefyd am barhau i wleidydda.

Am gyfnod byr, yn haf 2006, arhosodd Steffan gyda Shona yn yr Alban. Fe gafodd swydd yn y gwasanaeth trallwyso gwaed yno, a chael y cyfle i ddod i adnabod teulu Shona'n well. Roedd y pâr ifanc yn hapus ac roedd Steffan yn teimlo'n gartrefol iawn yn Inverness, fel y byddai dros y tair blynedd ar ddeg y bu'n ymweld â'r ddinas. Yn ystod yr amser hynny, fe fyddai perthynas agos yn datblygu ac fe fyddai'n Steffan yn dod i gael ei gydnabod fel mab yng nghyfraith annwyl gan rieni Shona, John ac Elaine. O fewn dim, roedd wedi creu ffrindiau, ac roedd e'n ddigon bodlon i fynd i dafarn y Johnny Foxes, neu i'r Gellions yng nghanol Inverness ar ben ei hun i gymdeithasu neu i wylio pêl-droed ar y teledu. Yna, un diwrnod, ar frig un o fynyddoedd y Cairngorms, ar ôl teithio i fyny'r rheilffordd ffwniciwlar fe wnaeth Steffan a Shona ddatgan eu bwriad i symud i Gymru. Roedd hyn yn gam mawr i Shona, ond roedd hi'n argyhoeddedig eu bod yn gwneud y peth iawn:

> Ro'n i'n gwybod bod yna rywbeth arbennig a'i fod e'n rhywun y byddai'n werth i mi symud fy holl fywyd, gadael fy swydd, a fy nheulu er ei fwyn.

Ym mis Medi 2006 felly symudodd y ddau i fyw yng Nghaerdydd ac yna i'r Coed-duon, ac fe gafodd Shona swydd gyda'r gwasanaeth iechyd. Fe fu Steffan yn gweithio am gyfnod ym mhencadlys Plaid Cymru, Tŷ Gwynfor, cyn dechrau gweithio yn 2007 i'r Aelod Cynulliad dros Orllewin De Cymru, Bethan Jenkins. Gyda Shona wrth ei ochr roedd Steffan yn hapus ei fyd ar lefel bersonol, ac roedd y ddau hefyd yn mwynhau cyfeillgarwch agos gydag Anne Morgan, oedd hefyd yn gweithio i'r Blaid, a Daniel Mason sydd bellach yn ŵr iddi.

O ran ei waith serch hynny, roedd uchelgais Steffan i fentro i'r byd gwleidyddol ei hun yn tyfu. Roedd gweld Plaid Cymru yn rhan o Lywodraeth Cymru dan arweiniad Ieuan Wyn Jones yn hwb aruthrol iddo yn hynny o beth. I Steff, roedd bod mewn llywodraeth a phrofi gallu aelodau etholedig y Blaid i gyflawni'n ymarferol, yn synhwyrol ac yn effeithiol fel gweinidogion llywodraeth, yn gam cwbl hanfodol yn nhaith y Blaid tuag at ennill ymddiriedaeth y Cymry yn eu gweledigaeth am annibyniaeth. Doedd ganddo fawr o amynedd tuag at y rhai oedd yn meddwl mai bod mewn gwrthblaid, a pheidio cydweithio ag eraill, oedd y ffordd o gyflawni amcanion gwleidyddol Plaid Cymru. Iddo fe, roedd y rheini oedd am weld Plaid Cymru yn grŵp pwyso neu'n fudiad ymgyrchu yn esgeuluso'r angen am brofi hygrededd, gallu ac awdurdod Plaid Cymru i fod yn blaid llywodraeth. Hyd yn oed o fod yn gorfod gweithio mewn clymblaid fel partner lleiafrifol, roedd Steffan yn argyhoeddedig bod hyn yn gam mawr ymlaen wrth brif-ffrydio gwleidyddiaeth Plaid Cymru ym meddyliau'r etholwyr.

Roedd Steffan yn un o'r aelodau staff oedd yn allweddol yn ystod y cyfnod hwnnw wrth bontio rhwng tîm y llywodraeth a'r blaid wirfoddol, ynghyd â staff eraill fel Helen Bradley, Steve Thomas, Morgan Lloyd a Geraint Day. Serch hynny, roedd yna elfen o rwystredigaeth yn perthyn iddo o hyd – roedd Steffan yn dal i deimlo'r angen i gwblhau gradd a phrofi ei allu academaidd. Yn 2008 felly, cofrestrodd i astudio Hanes ac Astudiaethau Americanaidd ym Mhrifysgol Morgannwg. O'r diwedd, roedd yn astudio pwnc yr oedd yn medru ei fwynhau, ac fe ddefnyddiodd y cyfle hwn i wneud traethawd estynedig ac ymchwilio'n fanwl i hanes tlodi ym mhlwyf Bedwellte yn ystod y ddau ryfel byd.

Penderfynodd Shona a Steffan briodi yn Inverness yn 2009. Teithiodd deugain o bobl o Gymru i'r Alban ar gyfer yr achlysur, ynghyd â ffrind agos Steffan, y Parchedig Aled Edwards. Roedd y ddau wedi penderfynu gofyn i Aled Edwards weinyddu'r briodas yn ddwyieithog, ac roedd hynny wedi bod yn benderfyniad pwysig iddynt, meddai Shona:

> Roedd e'n ddiwrnod bendigedig ac roedd hi'n anrhydedd i gael Aled Edwards yna. Fe gwrddais i ag e am y tro cyntaf wrth gael coffi yng Nghanolfan y Mileniwm a gofynnodd Steff i mi beth o'n i'n feddwl wedyn. Dwedais i, 'Mae rhaid iddo fe'n priodi ni', ac fe ofynnon ni iddo fe ddod lan i Inverness i'r briodas.

Mae Anne, ffrind i'r ddau, yn cofio gweld y syndod a'r balchder ar wyneb Steffan, pan glywodd ei briodferch yn tyngu ei llw priodas yn y Gymraeg. Roedd chwaer Steffan, Siân, oedd hefyd yn un o'r morwynion priodas, wedi recordio'r llw ar chwaraeydd MP3 ac, yn gyfrinachol iawn, roedd Shona wedi bod yn ymarfer y Gymraeg pan nad oedd Steffan yn gallu ei chlywed. Roedd yr achlysur, meddai Steff wrth adrodd yr hanes rai blynyddoedd wedyn yn 'berffaith', gyda'r canu a'r dawnsio yn para tan oriau mân y bore.

Wedi'r briodas, a'r mis mêl yn California, parhaodd Steffan i astudio at ei radd gan weithio'n rhan amser i Jocelyn Davies, gan ddod yn ffrindiau agos gyda Mike, gŵr Jocelyn hefyd. Roedd y blynyddoedd hyn yn rhai hapus iawn wrth i Steffan fwynhau bywyd gyda Shona. Roedd y ddau yn gwerthfawrogi cwmni eu ffrindiau, gan fwynhau gwyliau byr a phenwythnosau i ffwrdd gydag Anne a Daniel yn Sir Benfro. Mae Shona yn cofio ei gŵr fel person llawn hwyl a chyffro oedd wrth ei fodd yn cynllunio gwyliau a diwrnodau mas. Roedd Steffan hefyd yn mwynhau ei waith a'i astudiaethau ym Mhrifysgol Morgannwg tra oedd yn gweithio'n ddiwyd i Jocelyn Davies ar yr un pryd.

Pan gafodd ei ddewis fel ymgeisydd seneddol ar gyfer Etholiad Cyffredinol 2010, roedd wrth ei fodd yn mynd mas 'ar y stwmp' i ymgyrchu gyda'i hen ffrindiau, Glyn, Malcolm a Mike, yr un criw a'i cefnogodd yn ymgyrch 2006, ac unwaith eto, llwyddodd i gynyddu cyfran y bleidlais i Blaid Cymru. Sicrhaodd Steffan 13% o'r bleidlais yn Islwyn, a hynny mewn etholiad anodd iawn i Blaid Cymru a welodd y Ceidwadwyr yn gafael mewn grym unwaith eto yn San Steffan. I Steffan, roedd y canlyniad hwnnw yn rhoi mwy o reswm dros sicrhau buddugoliaeth yn y frwydr yr oedd Plaid Cymru wir am ei hennill yn y flwyddyn ganlynol, sef yr ymgyrch refferendwm dros bwerau deddfu i'r Cynulliad. Fe aeth ati'n syth i gynorthwyo gyda'r cynllunio ar gyfer yr ymgyrch honno.

Roedd Steffan wedi meithrin perthynas agos iawn yn ystod y cyfnod yma gyda gweinidogion ac ymgynghorwyr Plaid Cymru yn y llywodraeth ac roedd yn cyfrannu'n rheolaidd i'r sgyrsiau strategol. Roedd ganddo gysylltiad pwysig â chymunedau Gwent a'r gallu i gynnig syniadau cadarn am y negeseuon y byddai ardaloedd fel ei fro enedigol yn medru uniaethu â hwy. Roedd ei ddealltwriaeth o wleidyddiaeth yr Alban hefyd yn allweddol yn ystod y cyfnod hwnnw, wrth i'r cydweithio dyfu rhwng Plaid Cymru a'r SNP er mwyn cynllunio'r camau cyfansoddiadol a gwleidyddol nesaf.

Dyhead mawr Steffan oedd gweld Plaid Cymru yn medru ennill ymddiriedaeth pobl Cymru i lywodraethu ar ei phen ei hun, a hynny er mwyn ennill yr hawl i osod y cwestiwn o annibyniaeth i Gymru ger eu bron mewn refferendwm. Serch hynny, gyda'r hinsawdd wleidyddol wedi newid, doedd plaid leiafrifol Llywodraeth Cymru ddim yn mynd i gael ei gwobrwyo yn Etholiadau'r Cynulliad ym Mai 2011, ac fe gollodd Blaid Cymru bedair sedd.

Yn y De-ddwyrain, roedd Steffan yn gwbl grediniol mai'r hyn a oedd wedi cadw'r ddwy sedd ranbarthol i Blaid Cymru oedd y ffaith iddynt redeg ymgyrch gadarnhaol a strategol. Yng Ngwent, roedden nhw wedi amlygu llwyddiannau'r Blaid mewn llywodraeth ac wedi pwysleisio methiannau'r llywodraeth

Geidwadol. Roedd hynny'n groes i nifer o ymgyrchoedd y Blaid mewn etholaethau eraill oedd yn tanio eu bwledi at y Blaid Lafur – er gwaetha'r ffaith bod y ddwy blaid wedi llywodraethu gyda'i gilydd ers pedair blynedd.

Er bod Steffan yn ddigalon â'r canlyniad, gyda phwerau deddfu wedi eu trosglwyddo i'r Cynulliad, a gyda llywodraeth yr SNP yn yr Alban yn paratoi ar gyfer refferendwm ar annibyniaeth, roedd Steffan hefyd yn cydnabod fod dyddiau difyr eto i ddod. Erbyn hyn, roedd Steffan wedi graddio, ac roedd e'n gweithio'n llawn amser i Jocelyn Davies.

Ym mis Tachwedd y flwyddyn honno, 2011, fe wynebodd Steffan ergyd bersonol drom ar ôl i'w dad, Mark, farw'n sydyn. Roedd yn gyfnod anodd iawn i Steff a'i chwaer Siân. Doedd y naill neu'r llall ddim eto yn ddeg ar hugain oed, ond eto roedden nhw, gyda chymorth eu teulu, yn gorfod wynebu claddu eu tad. Yn ystod y cyfnod hwn, roedd cefnogaeth ei deulu a'i ffrindiau yn y Blaid yn bwysig iawn i Steffan, ac fe ddaethant ynghyd i fod gydag e yn ystod yr angladd yn y Coed-duon ac i'w gefnogi yn yr wythnosau anodd a ddilynodd.

Ar yr union adeg honno, roedd Plaid Cymru hefyd yng nghanol etholiad i ddewis arweinydd newydd, yn dilyn penderfyniad Ieuan Wyn Jones i ildio'r awenau. Roedd Steffan wedi datgan ei gefnogaeth i Elin Jones, yn bennaf oherwydd ei fod yn credu bod Elin wedi bod yn weinidog effeithiol yn y llywodraeth, ac y byddai hynny'n bwysig os oedd y Blaid am anelu at lywodraethu Cymru rywbryd eto. Ei bryder am weld Leanne Wood yn cael ei hethol oedd nad oedd wedi ei argyhoeddi bryd hynny fod gan Leanne ddiddordeb mewn arwain llywodraeth.

Serch hynny, ar y 12fed o Fawrth, 2012, mi gafodd Leanne Wood ei hethol yn arweinydd Plaid Cymru gan gychwyn ar bennod newydd yn hanes y Blaid. Sylweddolodd Leanne yn weddol fuan fod angen tîm o bobl o'i chwmpas y byddai'n gallu llwyr ymddiried ynddyn nhw, ac roedd hi'n deall bod angen i'r tîm hwnnw gynnwys pobl nad oedd o reidrwydd yn gefnogwyr naturiol iddi, nac yn rhannu'r un safbwyntiau â hi. Yn benodol, roedd angen ymgynghorydd arbennig arni – rhywun a fyddai'n gallu ei chynghori ar benderfyniadau gwleidyddol o ddydd i ddydd, ar faterion strategol hirdymor a'i chynorthwyo wrth ysgrifennu areithiau a gwneud ymyraethau gwleidyddol. Awgrymwyd enw Steffan wrthi, ac roedd Leanne yn ymwybodol fod y dyn ifanc o'r Coed-duon wedi datblygu enw da iddo fe ei hun fel rhywun deallus a huawdl oedd yn medru pontio rhwng carfanau gwleidyddol Plaid Cymru. Penodwyd Steffan i'r swydd honno felly, ac er ei amheuon am Leanne, fe weithiodd mewn ffordd gwbl ddiffuant a theyrngar a diwyd dros yr arweinydd newydd am y pedair blynedd nesaf.

Doedd hi ddim yn gyfnod rhwydd. Roedd y tirlun gwleidyddol yn anffafriol i Blaid Cymru ac roedd y gofynion ar Leanne, ac felly ar ei thîm, i drawsnewid perfformiad y Blaid yn sylweddol. O bryd i'w gilydd, roedd agweddau a safbwyntiau gwahanol y ddau o gymharu â'i gilydd yn amlygu eu hunain hefyd, gan arwain at ffrae neu at densiwn – yn enwedig dros gynnwys datganiadau i'r wasg neu areithiau. Er gwaethaf hynny, byddai'r arweinydd a'r ymgynghorydd bob amser yn dod o hyd i ffordd ymlaen – drwy ildio neu gyfaddawdu neu wrth ennill eu dadleuon – ac fe fyddai'r ddau yn symud ymlaen, heb ddal dig, tuag at y darn o waith nesaf. Byddai pawb arall yn y tîm yn ymwybodol bod y ddau wedi cweryla pan fyddai ebost yn dod gan Steffan yn cyfeirio at Leanne fel 'eich arweinydd chi' gan wneud i bawb arall chwerthin a rolio eu llygaid. Serch hynny, fe ddatblygodd yr ymddiriedaeth a'r cyfeillgarwch rhwng yr arweinydd a'i haelod staff i fod yn un agos tu hwnt, ac yn bendant roedd mwy yn eu huno nag oedd yn eu rhannu – yn enwedig yn y ffordd yr oedd y ddau yn edrych ar bwysigrwydd cryfhau cymunedau lleol. I Steffan, fel Leanne, gorweddai nifer o'r atebion i broblemau cymdeithasol ac economaidd Cymru yn y cymunedau unigol eu hunain, ac ar sawl achlysur, ysgrifennodd Steffan am ei weledigaeth ar gyfer hyrwyddo sosialaeth gymunedol fel ffordd ymlaen. Dyma ddetholiad o erthygl ysgrifennodd ar gyfer *Click on Wales*, y Sefydliad Materion Cymreig:

Cyn i fi gael fy ethol, ro'n i'n benderfynol, petawn i'n ei gwneud hi, y bydden i'n rhoi sosialaeth gymunedol yng nghanol fy ngweithgareddau. Ystyr hynny yw chwilio am faterion lleol yn y gymuned a dwyn pobl ynghyd i ffeindio datrysiadau cymunedol. Ar adeg pan mae ffydd mewn gwleidyddion ar ei fan isaf, rwy'n credu ei bod hi'n bwysig i gael golwg ffres ar sut ry'n ni'n gwneud pethau ac ailfeddwl ein gwleidyddiaeth fel nad dim ond 'gwrando ar bobl' yw hi ond simentio eu cyfranogiad yn ein bywyd gwleidyddol.

Yn y bôn, dyna oedd hanfod gweledigaeth Leanne Wood hefyd, a dyma yr oedd hi'n ei gredu fyddai'n achubiaeth ar gyfer economi a chymunedau Cymru.

Yn 2015 profwyd y berthynas rhwng yr arweinydd a'i hymgynghorydd i'r eithaf yn ystod Etholiad Cyffredinol 2015. Roedd Plaid Cymru wedi treulio cryn amser yn dwyn perswâd ar y darlledwyr, cyn yr etholiad hwnnw, y dylid cynnwys eu harweinydd yn y dadleuon teledu. Mi wnaethpwyd hyn gyda theimladau cymysg yn breifat – gan ddeall yr holl fanteision o fod â'r gallu i gyfleu neges ar lwyfan mor fawr yn gwbl amlwg ar yr un llaw, ond gyda'r risg o wneud cawlach ohoni yn fwgan ar y llaw arall. Paratowyd y ddogfen friffio fwyaf manwl ac eang erioed i unrhyw arweinydd Plaid Cymru ei derbyn, ac fe dreuliodd y tîm wythnosau ar eu hyd yn ymarfer gyda'r arweinydd, yn ei chroesholi, ac yn paratoi llinellau ac ymatebion pwrpasol iddi ar gyfer y dadleuon hyn.

Roedd Steffan yn teimlo'r cyfrifoldeb i'r byw. Y disgwyliad ymhlith y pleidiau eraill a'r sylwebwyr gwleidyddol oedd na fyddai Leanne yn medru ymdopi o dan y fath bwysau ac yn y fath fforwm, ac roedd Leanne a Steffan yn benderfynol o'u profi nhw'n anghywir. Teithiodd Steff gyda Leanne yn ôl ac ymlaen o stiwdios yng Nghaerdydd, Manceinion a Llundain drwy'r ymgyrch honno. Weithiau, roedd y pwysau a'r cyfrifoldeb hwnnw'n gwneud iddo deimlo'n sâl, gymaint felly ar adegau fel nad oedd e'n gallu gwylio ei arweinydd yn fyw ar y teledu!

Ar ben hyn oll, roedd Steffan ei hun yn ymgeisydd yn yr Etholiad Cyffredinol hwnnw hefyd yn 2015, y tro hwn nôl ym Mlaenau Gwent. Er gwaetha'r ffaith bod Plaid Cymru fwy neu lai wedi aros yn ei hunfan ar lefel genedlaethol yn yr etholiad hwnnw, llwyddodd Steff unwaith eto i gynyddu ei bleidlais yn yr etholaeth o bron i 5%.

A phe na bai bod yn ymgynghorydd i'r arweinydd, ymladd Etholiad Cyffredinol a pharatoi ar gyfer dadleuon teledu'n ddigon, roedd Shona hefyd yn paratoi i roi genedigaeth i'w plentyn cyntaf. Hyn, yn fwy nag unrhyw beth arall yn ei fywyd ar y cyfnod hwn, oedd yn gyrru hapusrwydd Steffan. Roedd y syniad o fod yn dad yn ei lenwi â gorfoledd a chyffro. Fe gafodd Celyn Douglas Lewis ei eni ychydig dros bythefnos ar ôl yr Etholiad Cyffredinol, dair wythnos yn gynnar, trwy enedigaeth Gesaraidd frys, ac mae Shona'n cofio wyneb Steff wrth iddo ddal ei faban newydd yn ei freichiau:

> Rwy'n cofio bod yn yr ysbyty ynghanol y nos a Steff yn ei ddal e, a'i wên, roedd e'n hyfryd. Roedd 'na brydferthwch y noson honno, a'r bond yno ar unwaith, yno rhyngddyn nhw. Roedd hi'n hollol odidog. Roedd e mor falch o gael gofalu am Celyn yn y diwrnodau cyntaf hynny, yn ofalus iawn wrth ei lapio yn ei garthenni. Fe wnaeth bod yn dad 'wneud' Steffan.

Roedd Steffan yn benderfynol y byddai Celyn yn cael ei drochi mewn cariad ac yn mwynhau'r plentyndod hapusaf posib. Roedd yn mwynhau rhoi bath i'r babi bach, ac fe fyddai'n cyfeirio at y tri ohonynt – Shona, Celyn ac ef ei hun – fel 'y tîm' neu 'fam' o'r gair 'family' yn Saesneg.

Erbyn hyn wrth gwrs, roedd Jocelyn Davies wedi cyhoeddi y byddai'n rhoi'r gorau i fod yn Aelod Cynulliad dros Ddwyrain De Cymru yn yr etholiadau yn 2016, ac roedd Steffan yn ymwybodol iawn mai'r disgwyliad ymhlith pawb ym Mhlaid Cymru oedd mai ef fyddai'n cymryd ei lle hi ar frig rhestr ranbarthol y Blaid. Dyna oedd dymuniad Jocelyn ei hun hefyd, ac ymhen blwyddyn ar ôl genedigaeth Celyn, fe wnaeth Steffan hynny.

Ym mis Mai 2016, tyngodd lw fel Aelod Cynulliad De-ddwyrain Cymru, mewn seremoni yn Siambr y Senedd gyda'i wraig Shona, ei fab Celyn, ei fam Gail, ei lysdad Neil a'i

chwaer Nia'n bresennol. I Steff, roedd yn gwireddu uchelgais
oes yng nghwmni cynnes ei deulu balch. Ar ôl gweithio dros
wleidyddion profiadol ers bron i ddeng mlynedd, a dysgu
cymaint oddi wrthyn nhw, roedd Steffan yn barod i wynebu'r
her ei hun. Ar yr un pryd, roedd hefyd yn cydnabod mawredd y
cyfrifoldeb a'r disgwyliadau oedd gan eraill ohono – ond yn fwy
felly, y safonau uchel yr oedd e'n gosod fel disgwyliadau iddo
fe ei hun. Ar raglen *Beti a'i Phobol*, disgrifiodd ei deimladau
wrth eistedd yn y Siambr am y tro cyntaf fel Aelod Cynulliad:

> STEFF – O'n i'n ishte yn y siambr 'ne, o'n i'n nerfus dros ben, o'n
> i'n crynu…
> BETI – Pam?
> STEFF – Fi ddim yn gwbod, fi'n meddwl jyst y ffaith mod i 'di
> cyrraedd, mod i 'di cael fy ethol, o'dd jyst ishte yna fel aelod o
> Senedd Cymru jyst yn meddwl cymaint. O'n i'n becso yn fawr iawn
> ynglŷn â'n cwestiwn neu'n araith gynta i, a dyma fi'n gweld Alun
> Davies, wy'n meddwl, aelod llafur dros Flaenau Gwent, a dyma fe'n
> dweud wrtha i, 'Jyst gair bach o gyngor', wedodd e, 'pan ti'n cael y
> cyfle i siarad, jyst gna fe, ca'l e mas o'r ffordd cyn gynted â phosib a
> byddi di'n di'n *fine* ar ôl 'ny'. Ac o'dd e'n iawn, so, o'n i 'di chwilio am
> y cyfle cynta i siarad, a ro'n i'n teimlo lot yn well ar ôl hynny, roedd
> e mas o'r ffordd. Ond ma'r Cynulliad, mae fel pob senedd, ond chi
> ddim falle yn teimlo fe wrth wylio fe, achos y ffordd ma'r *acoustics*
> yn y siambr, ond ma'n un o'r llefydd 'ne lle os yw aelodau wedi
> cael llond bol ar glywed eich llais chi, allwch chi glywed nhw, ma'n
> lle beirniadol iawn. Dwi'n meddwl bod rhyw fath o ddelwedd o'r
> Cynulliad bod e'n le hapus a chyfeillgar, fel arfer mae'n le cwrtais
> iawn ond mae'n senedd go iawn ac mae'n gallu bod yn eitha *rough*
> ar brydiau.

Er ei allu i graffu'n galed ac i ddadlau'n ffyrnig dros yr
hyn oedd yn bwysig iddo, doedd Steffan ddim yn mwynhau
gwrthdaro, ac yn bendant roedd yn casáu gwleidyddiaeth
llwythol, unllygeidiog oedd wedi'i seilio ar fynd benben â
gwrthwynebydd, neu blaid arall, uwchlaw pob ystyriaeth arall.
Roedd yn well o lawer gan Steff geisio chwilio am gonsensws,
am dir cyffredin, er mwyn symud pethau yn eu blaenau ac

roedd yn argyhoeddedig bod gwneud hynny'n arwain at sicrhau mwy o gynnydd i'r achos na brwydro parhaus gydag eraill. Roedd yn gas ganddo natur y ddisgwrs gyhoeddus a oedd wedi datblygu yn y byd gwleidyddol ac ar y cyfryngau cymdeithasol, ac fe fyddai'n bachu ar bob cyfle i feithrin awyrgylch o barch a goddefgarwch, fel y tro pan fu'n annerch cyfarfod cyhoeddus ym Mhontypridd yn 2017:

> Mae yna elfen wenwynig mewn llawer o ddadlau gwleidyddol ar hyn o bryd, yn enwedig ar y cyfryngau cymdeithasol ac yng ngoleuni refferendwm yr UE ac ati. Ac felly ro'n i jest am ddweud 'mod i'n gobeithio y gallwn ni i gyd yma heno, pa ffordd bynnag y pleidleision ni yn y refferendwm neu beth bynnag ein teyrngarwch gwleidyddol, gytuno y byddwn ni'n cynnal trafodaethau, ie yn ddiflewyn-ar-dafod, ond bob amser gyda pharch.

Y goddefgarwch yma, a'r parodrwydd i wrando ac i wleidydda mewn ffordd oedd yn dangos parch at eraill, oedd un o'r rhesymau pam yr oedd gwleidyddion ar draws y sbectrwm gwleidyddol mor barod i wrando ar Steffan pan oedd ganddo rywbeth i'w ddweud. Dyna hefyd sut lwyddodd i wneud cymaint o argraff, a chael cymaint o ddylanwad, yn ystod ei gyfnod byr fel Aelod Cynulliad – yn enwedig yn ystod y trafodaethau am adael yr Undeb Ewropeaidd. Roedd canlyniad y Refferendwm ar aelodaeth y Deyrnas Unedig o'r Undeb Ewropeaidd wedi bod yn siom aruthrol i Steff. Roedd Steffan bob amser wedi ystyried dyfodol cyfansoddiadol Cymru yn y cyd-destun Ewropeaidd a rhyngwladol, ac roedd yn pryderu'n fawr y byddai'r canlyniad hwn yn rhoi rheswm i lywodraeth y DU danseilio datganoli ac ailsefydlu cyd-destun mwy Prydeinig i wleidyddiaeth gwledydd yr ynysoedd hyn.

Serch hynny, roedd bob amser yn argyhoeddedig mai yn nwylo pobl Cymru eu hunain oedd yr atebion i bob her a phob problem, ac ymwrthododd â'r math o genedlaetholdeb oedd yn ceisio portreadu Cymru fel cenedl wan, ddiymadferth oedd yn dioddef dan orthrwm eraill. Yn ei gyfweliad gyda Beti George dywedodd:

Be fi'n meddwl sy'n bosib yw cael chwyldro meddyliol fel cenedl, ffindo'r hunanhyder 'na oedd gyda ni falle 20 mlynedd yn ôl a neud y penderfyniad bod ni ddim am fod yn *victims* bellach, bod e ddim yn fai pawb arall trwy'r amser, bod ni'n gallu cymryd cyfrifoldeb dros faterion ein hunan a thrwy gydweithio gydag eraill gallwn ni adeiladu economi teg a ffyniannus yma yng Nghymru. Wy'n benderfynol allen ni neud e. Ma gwledydd bychain o'n hamgylch ni yn Ewrop sydd yn llwyddiannus, pam na ellwn ni fod yn llwyddiannus hefyd?

Yn y cyd-destun hwnnw, roedd yn benderfynol o ddod o hyd i ymateb i Brecsit oedd nid yn unig yn gwarchod grymoedd presennol y Cynulliad Cenedlaethol, ond un a oedd hefyd yn cynnig ffordd ymlaen – yn cynnig gweledigaeth. Amlygodd Steffan hyn yn ei araith i Gynhadledd Flynyddol Plaid Cymru yn 2017:

Mae'r cyd-destun gwleidyddol sydd ohoni heddiw yn mynnu ganddon ni nid ymateb amddiffynnol syml, ond yn fwy nag erioed, mae'n mynnu ein bod yn cyflwyno i'n cyd-ddinasyddion weledigaeth i'n cenedl ni a all ysbrydoli a chyffroi. Nid fel sylwedyddion gwleidyddol rydyn ni yma, i wneud dim ond disgrifio problemau ac achwyn ar annhegwch. Adeiladwyr cenedl ydyn ni. Ac fel adeiladwyr cenedl, y rhwymedigaeth fwyaf sydd arnon ni wrth i ni geisio arwain ein cenedl yw herio'r rhai y mae eu hideoleg a'u dogma yn damsgen yn ddidostur ar ben buddiannau ein pobl.

Ac ar y sail yma wrth gwrs, cyflwynodd y syniad o Fil Parhad i lywodraethau Cymru a'r Alban – nid yn unig fel cam rhagweithiol, fel y gwelai Steffan, i amddiffyn grymoedd y sefydliadau datganoledig, ond hefyd fel ffordd o amlygu'r bygythiad hwnnw ymhlith pobl y cenhedloedd hyn. Ei feddylfryd bob amser oedd bod angen trechu anobaith neu ddifaterwch drwy gyflwyno syniadau newydd a gweledigaeth glir. Ac fel y gwelwyd yn un o'i areithiau olaf yn y Senedd am ddiddymu Bil Parhad Cymru yn 2018, roedd y Cynulliad ar ei orau pan roedd y pleidiau yn cael eu gorfodi i gydweithio 'er lles y genedl':

Mae wedi bod yn glir ers y cychwyn fodd bynnag y gall aelodau o bob tu gytuno bod deddfu er mwyn cynnal datganoli yng nghyd-destun ymadael â'r UE yn briodol ac yn angenrheidiol. Rwy'n digwydd credu mai un o fomentau gwychaf y senedd hon oedd ein bod wedi gweithredu ar draws llinellau'r pleidiau er budd rhywbeth mwy o lawer na ni'n hunain fel unigolion neu garfanau unigol: ein cenedligrwydd gwleidyddol.

*

Wedi'r araith honno ym mis Tachwedd 2018, eisteddodd Steffan yn ôl yn ei gadair yn y Siambr yn gwingo mewn poen. Roedd yn dechrau gwawrio ar ei ffrindiau, a'r aelodau i gyd, y byddai'r amser yn dod yn fuan pan na fyddai'r aelod dros Ddwyrain De Cymru yn medru bod yn eu plith. Dim ond blwyddyn oedd wedi bod ers i Steffan ddechrau sylwi fod yna rywbeth o'i le ar ei iechyd. Pan aeth Steff at y doctor, trefnodd y meddyg teulu iddo gael sgan ymhen rhai wythnosau yn yr ysbyty. Fodd bynnag, roedd y boen wedi mynd yn ormod ac fe aeth ei hun i Ysbyty Brenhinol Morgannwg er mwyn ceisio cael atebion. Yna, ar yr 13eg Rhagfyr, 2017, gyda Shona wrth ei ochr, torrwyd y newyddion i Steffan am y tiwmor yn ei goluddyn, a bod y canser eisoes wedi cyrraedd cyfnod pedwar ac wedi lledu i'r afu. Disgrifiodd Steffan y foment pan glywodd y newyddion hwnnw wrth Beti George yn ei gyfweliad:

Ar y pryd o'n i mewn cymaint o sioc o'n i ddim wir yn gwbod beth i neud. Wy'n cofio ffonio cyd-aelodau o'r Cynulliad i adael iddyn nhw wybod beth oedd yn digwydd ac yn amlwg y teulu, a wedyn cyn bo chi'n gallu cael cyfle i brosesu'r peth, yn sydyn mae bywyd yn newid yn fawr iawn ac mae'n troi mewn i gyfres o apwyntiadau. A mewn ffordd fi'n falch, achos o'dd yr apwyntiadau yna yn cadw fi'n fishi dros ben. Wy ddim yn siŵr shwt fydden i wedi delio gyda'r sefyllfa yna oni bai am y ffaith bod apwyntiadau yn dod trwy'r post bob yn ail diwrnod.

Roedd Steffan wedi derbyn y newyddion gwaethaf posib, ond fe geisiodd ddelio â'r sefyllfa mewn ffordd lle yr oedd yn medru gofalu ac ystyried lles pawb arall o'i gwmpas. Y prynhawn ar ôl derbyn y newyddion fe aeth Shona gydag ef i dŷ ei fam a Neil. Roedden nhw wedi bod yn gwrachod Celyn bach ac roedd y teulu – Gail, Neil, Nia, Siân a'i gŵr Dan a'u babi bach Tomos – yn aros i'r ddau ddychwelyd i Dredegar. Eisteddodd y teulu gyda'i gilydd, cyn i Steff gyhoeddi wrthynt yn ddewr, 'Right, this is as low as we are going to get, OK? Today we can cry, but tomorrow we get up and move onwards and upwards.'

Yn ystod y misoedd a ddilynodd y diagnosis, caniataodd ei hun serch hynny i deimlo'n grac fod hyn yn digwydd, i deimlo'n flin ac i gwestiynu pam yr oedd hyn wedi digwydd iddo fe, fel sy'n iawn i unrhyw un deimlo wrth wynebu sefyllfa fel hon. Nid oedd ofn marw arno, ond roedd e'n flin – yn siomedig na fyddai'n gallu heneiddio gyda Shona a gweld Celyn yn troi'n ddyn, ac na fyddai'n gallu gwneud y pethau yr oedd yn dyheu i'w cyflawni. Mewn cyfweliad a'r *Western Mail*, dywedodd:

> Rwy'n ymwybodol iawn mai fi yw'r prif gymeriad, ond fy nheulu a'm ffrindiau – does yr un o'n nhw wrth gwrs am fy ngholli.
>
> Maen nhw am i fi orchfygu a llwyddo a threchu hwn. Mae'n effeithio arnyn nhw yn emosiynol hefyd. Mi ddyweden i y dylid ei allanoli e.
>
> Mae llawer iawn o siarad am aros yn bositif. Chi'n gwybod, rai dyddiau dy'ch chi ddim yn mynd i fod yn bositif, a mae hynny'n iawn.
>
> Bydd yn negyddol, bydd yn ddig – mae gen ti hawl os wyt ti moyn. Bydd yn siomedig ofnadwy, bydd yn isel, cwestiyna fe.
>
> Gofyn i ti dy hunan: 'Pam fi?' Rho ganiatâd i dy hunan i deimlo'r gwahanol emosiynau i gyd achos rwy'n meddwl yn y pen draw y byddi di mewn man lle mae'n haws dod i delerau ag e; rwyt ti wedi rhoi dy hunan drwy'r chwyrligwgan emosiynol yna.

Ym mis Rhagfyr 2017 roedd Steffan yn wynebu llawdriniaeth frys yn Ysbyty Gwent. Roedd ei sefyllfa mor ddifrifol nes i'r doctor benderfynu gohirio ei wyliau blynyddol er mwyn tynnu'r tiwmor yn y coluddyn rai diwrnodau cyn y Nadolig.

Wedi hynny, cryfhaodd Steffan rhyw ychydig, a rhai wythnosau wedyn fe ddychwelodd i'r gwaith er mawr syndod i bawb. Erbyn diwedd mis Ionawr, roedd i fod i gychwyn ar gwrs o chemotherapi yn Ysbyty'r Tywysog Charles ym Merthyr Tudful, ond aeth yn sâl a darganfuwyd bod sepsis arno. Roedd yr afu yn dechrau methu. Cafodd ei gludo i Ysbyty Felindre ar frys, a chael ei drin am y sepsis. Bu yno am rai wythnosau, yn ddifrifol wael, ac fe'i rhybuddiwyd gan un oncolegydd y dylai ddechrau 'ysgrifennu ei lythyron nawr'. Doedd Steffan ddim am ildio serch hynny, er gwaetha'r rhybudd am ei gyflwr. Unwaith eto fe gryfhaodd ddigon i ddechrau ar y chemotherapi, ac roedd hyn yn rhyddhad mawr i Steff:

> O'n i'n meddwl wel, ocê, 'na'i neud 'ny ond fi'n dal i feddwl os ella'i jyst dechre ar y chemo bydd 'na siawns, a lwcus i fi, dechreuais i ar y chemo a o'n i wedi ymateb yn dda iawn i'r chemo. O'dd hwnna'n bendant wedi rhoi ail gyfle i fi ond o'n nhw i gyd ar y pryd yn Felindre yn meddwl mai mater o ddyddie o'dd gyda fi.

Cyfaddefodd yn hwyrach bod trechu'r canser bryd hynny wedi troi'n obsesiwn ddyddiol iddo. Dywedodd wrth ohebydd y *Western Mail*, Martin Shipton, ei fod yn teimlo ei fod yn wynebu etholiad, ac roedd pob dydd yn 'ddiwrnod ymgyrch'. Gydag amser, daeth i sylweddoli nad oedd y teimlad hwnnw o frwydro'n barhaus yn gynaliadwy, ac, yn hytrach, trodd at ei deulu ac at ei waith er mwyn dianc oddi wrth realiti'r salwch:

> Ac felly mae gallu dianc drwy weithio wedi bod yn werth y byd, a bod yn ddigon da i allu cyfranogi yn yr amseroedd hynod ddiddorol yma – er eu bod yn wirioneddol ddyrys ac, a dweud y gwir, yn beryglus – wedi bod yn beth i'w groesawu'n fawr. Fe ddweden i, ynghyd â chael fy nheulu ac yn arbennig fy mab – mae'n dod â'r fath lawenydd ar adegau gwirioneddol dywyll – roedd cael gwaith hefyd a chael fy sbarduno'n ddeallol yn gymorth mawr i fi ddod drwy'r profiad anodd yma.

Dechreuodd gymryd agwedd un cam ar y tro tuag at ei siwrnai gyda chanser. Y nod i ddechrau oedd gweld Celyn yn mynd i'r ysgol feithrin yn ei wisg ysgol newydd, ac fe lwyddodd i wneud hynny. Ei uchelgais nesaf oedd cyrraedd y Nadolig a mwynhau diwrnod Nadolig adref gyda'r teulu.

Roedd sawl diwrnod hapus arall yn ystod y flwyddyn honno er gwaethaf pob dim. Un ohonynt oedd y daith gerdded ar y 14eg o Orffennaf, yn enw Steffan, i godi arian i Felindre. Syniad Nia oedd cyhoeddi ymgyrch codi arian i ddathlu pen-blwydd ei brawd mawr yn 34 ac fe drefnais fod criw yn dod at ei gilydd i helpu Nia gyda'r trefniadau. Yn eu plith roedd Manon Antoniazzi, Prif Weithredwr a Chlerc y Cynulliad, y cyn-aelodau Cynulliad, Ieuan Wyn Jones a Nerys Evans, Aled Elwyn Jones o staff Comisiwn y Cynulliad, ynghyd â staff a chyn-staff Plaid Cymru, Math Wiliam, Elin Llŷr, Elin Roberts a Helen Bradley. Fe benderfynwyd trefnu taith gerdded deg milltir o hyd, o fynydd y Twmbarlwm ger Rhisga a thrwy barc gwledig Cwm Sirhowy i'r Gelligroes ac yna i'r Coed-duon.

Un o fy nyletswyddau i oedd penderfynu ar lwybr y daith, ac fe gafwyd sawl ymgais aflwyddiannus i fapio'r siwrne ar droed yn y gwynt a'r glaw (gan fynd ar goll yn llwyr yn yr ardal hardd yma o Went), cyn iddi gael ei chadarnhau'n derfynol.

Roedd diwrnod y daith yn fythgofiadwy gyda dros 200 o gerddwyr yn y de, a chriw yn cerdded llwybr cyfatebol ar hyd arfordir y gogledd hefyd. Roedd aelodau pob plaid wleidyddol yn eu plith, ynghyd â ffrindiau, teulu, cydweithwyr a chefnogwyr Steff, ac fe godwyd dros £28,000 i ganolfan ganser Felindre. Roedd Steffan, oedd yn ddigon iach i fod yn bresennol ar ddechrau a diwedd y daith, wrth ei fodd. Gyda'r camerâu teledu a rhai newyddiadurwyr wedi ymuno â'r daith, roedd yn gweld hyn fel cyfle arall i godi ymwybyddiaeth am ganser y coluddyn yn ogystal â chodi arian. Roedd Nia mor falch ei bod wedi gallu gwneud rhywbeth cadarnhaol er mwyn cefnogi ei brawd mawr.

Wrth i fisoedd yr hydref wibio heibio a'r Nadolig nesáu, gwaethygodd cyflwr Steff. Ychydig cyn y Nadolig, fe drefnais i a Steff gwrdd yn nhafarn The Halfway Inn nid nepell o lwybr y daith gerdded. Roedd Steffan mewn poen, ac roedd yn llwyr ddisgwyl y byddai'n gorfod mynd yn ôl mewn i'r ysbyty yn fuan iawn, ond roedd yn benderfynol o fod adref dros y Nadolig gyda Celyn a Shona.

Ar ôl treulio rhyw awr yn hel atgofion da, cyfaddefodd Steff wrtha i am y tro cyntaf bod y canser wedi ei drechu. Dywedodd, wrth gynnig cwtsh, ei fod yn iawn i mi grio am hyn gan ei fod e wedi crio droeon am dristwch ei sefyllfa hefyd, ac am yr hyn a oedd yn wynebu ei fam, ei chwiorydd, ei frawd ac yn enwedig Shona a Celyn. Methodd y geiriau i ddechrau. Doedd dim pwynt i mi geisio esgus wrth Steffan y byddai pob dim yn iawn a doedd e ddim am fy nghlywed yn dweud hynny. Yn hytrach, defnyddiais yr amser gwerthfawr olaf yna yn ei gwmni yn trafod cystal ffrind yr oedd e, ac yn pwysleisio cymaint yr oedd wedi ei gyflawni dros ei deulu, dros y Blaid a thros Gymru.

Fe gafodd Steffan ei ddymuniad i fod adref ar ddiwrnod Nadolig gyda'i deulu yn y Coed-duon cyn teithio i fod gyda'i deulu yn Nhredegar yn hwyrach yr un diwrnod. Yn fuan wedyn, ar ddechrau'r flwyddyn newydd, cafodd ei gludo i Ysbyty Ystrad Fawr, Ystrad Mynach, lle cafodd y gofal lliniarol gorau. Yno bu farw Steff, yn 34 oed, gyda'i wraig, ei fam a'i lysdad wrth ei ochr, yn ei drochi â'u cariad tan y diwedd.

Roedd Steffan yn benderfynol nad oedd am gael ei ddiffinio gan y canser, boed yn fyw neu'n farw, ac fe lwyddodd. Yn y cannoedd o deyrngedau wedi ei farwolaeth, roedd cydnabyddiaeth eang am yr hyn yr oedd Steff wedi ei gyflawni fel gwleidydd, yn lleol ac yn genedlaethol. Cafodd ei ddisgrifio gan Adam Price, arweinydd newydd Plaid Cymru yn 'fab perffaith Cymru' oedd â'r gallu i fod yn 'dad y genedl' hefyd. Dywedodd y Prif Weinidog, Mark Drakeford, fod Cymru wedi colli dyn 'meddylgar, sensitif ac ymroddgar'. Roedd Steff wedi gwneud 'cyfraniad aruthrol' yn ôl y cyn-Brif Weinidog Carwyn Jones. Roedd Steffan 'nid yn unig yn cyflwyno dadleuon pwerus a deallus', meddai arweinydd y Ceidwadwyr yn y Cynulliad, Paul Davies, ond 'roedd e bob amser yn ychwanegu rhywbeth newydd i'r ddadl'. 'Dyn hyfryd a gwleidydd o'r radd flaenaf' oedd Steffan yn ôl Prif Weinidog yr Alban, Nicola Sturgeon, ac ar ran llywodraeth Iwerddon, dywedodd eu llysgennad, Adrian O'Neill y byddai Steffan 'yn cael ei gofio nid yn unig am ei yrfa nodedig... ond hefyd am ei angerdd a'i frwdfrydedd dros ddatblygu'r berthynas rhwng Iwerddon a Chymru'.

Er mor bwysig yw cofio Steffan am ei gyfraniad i fywyd cyhoeddus yng Nghymru, yn ei ddyddiau olaf, yr un peth oedd yn pwyso'n drwm ar feddwl y tad ifanc oedd sicrhau na fyddai ei fab yn ei anghofio. I Steff, roedd cariad Celyn yn rhoi synnwyr i'w fywyd, pwrpas ehangach hyd yn oed. Yn ei gyfweliad gyda Beti George, dywedodd Steffan am Celyn:

> Mae'n rhoi cyd-destun i bopeth. Mae mynd i'r parc gyda fe ar brynhawn dydd Sul... os fi'n llwyddo i neud hynna, ma hwnna'n uchafbwynt i'r wythnos. Ac ma fe yr oedran 'na nawr lle ma'r personoliaeth wir yn dechrau, ac mae'n cyfathrebu lot yn well, a y'n ni wedi datblygu bond pwysig iawn a... ty'mod, mae 'di bod yn bwysig i mi greu'r bond yna achos sai moyn iddo fe anghofio fi.

Doedd dim angen iddo boeni am hynny. Heddiw, mae gan Celyn fam, mam-gu, modrybedd, ewythr, ffrindiau i'r teulu ac eraill fydd yn rhannu llu o straeon am ei dad arbennig gydag e, ac yn cadw'r atgof ohono'n fyw am byth.

Go brin y bydd y byd gwleidyddol yng Nghymru yn anghofio am Steffan Lewis chwaith. Yn ei gyfnod afresymol o fyr ar y ddaear, fe wnaeth Steff ei farc ar ei fro ac ar ei wlad drwy arddel y math o wleidyddiaeth gynhwysol a chadarnhaol sydd mor brin yn ein sefydliadau democrataidd erbyn hyn, a thrwy rannu gweledigaeth gadarn a hyderus am ddyfodol ein cenedl.

Rhuanedd Richards

A MAN BEFORE HIS TIME

AN OLD HEAD on young shoulders – that was Steffan. Even when he was born, on the thirtieth of May, 1984, at the Royal Gwent Hospital, Newport, his thick black sideburns suggested that this was a boy who would become a man before his time. In the last weeks of his life, Steff spoke about what saddened him most. There were so many things he still wanted to accomplish, and what he yearned for most of all of course was to see his son, Celyn, grow to manhood and flourish, blessed by the unconditional love of his father and his mother, Shona.

Celyn was born in the same hospital as his father and spent his first years growing up in Blackwood, close to Steffan's first home in Crosskeys. That was where Steffan lived with his parents, Mark and Gail, his brother Dylan and his sister Siân. When the marriage ended in 1996 he moved with his Mam and sister to Tredegar.

Two languages were spoken at home – Welsh with Mam and English with Dad – but both parents were equally proud of being able to bring up the children bilingually. Both homes were full of books, and the children were encouraged to read and to discuss the world, including politics, at every possible opportunity. It was not surprising therefore that he impressed his teachers at the Welsh language unit in Ysgol Sofrydd, Abertillery and at Ysgol Gymraeg Cwm Gwyddon in Abercarn, with his ability to discuss and to give his views on news and current affairs. His humour was legendary even then, with one teacher, Mr Alun Williams, commenting at the end of his annual school report, 'Steffan is quite a character!'

His mother Gail says that Steff developed his passion for social justice very early in life, often putting the world to rights at mealtimes. Both read and analysed articles from the *Western Mail* together, with Gail highlighting and cutting out items which she thought would be of interest to him. Occasionally, Steffan would wait eagerly until his mother started ironing, knowing that she would then have the time to listen to the latest ideas that he'd been working out in his mind. She would be surprised at the maturity of the analysis. Even though he worked long hours, his father, Mark, would listen to his son's latest theories before bedtime and would love to come home to hear Steffan questioning and challenging things in the comfort of his pyjamas. Often, the questions would be about Wales – about the nation's history, language, community, and patriotism. It was Mark and Gail who had introduced the young teenager to Plaid Cymru – first by discussing Plaid's politics and teaching him about the party's leaders. Eventually, Mark took his son to a local party branch meeting. Interviewed by Beti George on her BBC Radio Cymru programme, Steffan recalled that meeting:

> I remember some enormous argument, I can't remember about what, but I remember thinking 'wow, this is brilliant; adults talking to each other like this?' And there was me thinking, 'I want to be part of this'.

It was at those meetings that Steffan first met a woman who would become his mentor for life – Jocelyn Davies, who became one of the first Plaid Cymru government ministers. The relative success of her campaign in the 1995 Islwyn by-election further fuelled the young boy's passion for the national movement even though it had been ignited many years previously.

At the age of eight, one event that captured Steffan's imagination was the arrest of Dewi Prysor Williams under suspicion of being involved in the Meibion Glyndŵr summer homes bombing campaign. Dewi Prysor and Siôn Aubrey Roberts were accused of conspiring to cause explosions, and Prysor was detained for 14 months while awaiting his court case, before being found not guilty and released in March 1993. Steffan was absolutely convinced that Dewi Prysor had been wrongly imprisoned, and he persuaded his mother and father to write to him at Walton prison in Liverpool to declare their support on behalf of the whole family. A reply came from the prison, and one section of that letter had a significant impact on the young Steffan. Dewi Prysor wrote:

> Personally, I feel myself strengthened every hour of every day, and my decision to commit myself to campaigning for my country and my people is reinforced every minute. Nobody can imprison a spirit, a soul, and a vision of freedom. Neither the idea nor the need for justice and freedom can be imprisoned or killed. That spirit is still constantly racing through my blood, and it will be there forever. Wales must be free.

As Steffan matured and prepared to go to Ysgol Gyfun Gwynllyw, Gwent's first Welsh-medium secondary school, in 1995, he felt the need to find out more about Wales and to share his own ideas with a wider audience. Rather than just asking questions, Steff was now demanding answers to questions that were beyond his parents' sphere of knowledge. There was only one thing to be done, says Gail, and that was to give her son a Smith Corona typewriter so that he could write to those who could answer his questions directly. It is clear from Steffan's interview with Beti George how much he appreciated the encouragement he received from his family:

> I was very lucky that if my parents didn't have the answers to the difficult questions I kept asking as a young boy, then they were a great help to me in writing to the people who had the answers.

Dewi Prysor's letter from Walton jail in Liverpool to the young Steffan.

Gwynfor Evans would send a Christmas card to Tredegar every year.

From 1995 onwards, replies to those letters began to arrive at the house – from Westminster, from the Plaid Cymru headquarters, from the House of Lords, and even from the nationalist parties of other countries. There was much laughter at home as they tried to guess what the postman would think of all the letters arriving with House of Commons insignia printed on the envelopes. The then Member of Parliament for Caernarfon Dafydd Wigley would always respond to the letters Steff sent him. There were letters about the Celtic Congress, about vehicle registration plates, about the future of the royal family, about wearing a white poppy, about ambassadors for Wales, and a host of other subjects. His interest in such issues developed to such an extent that at the age of eleven, Steff was invited to Parliament to meet the Plaid Cymru MPs. In her tribute to Steffan during his funeral, Jocelyn Davies gave the following description of that visit:

> He was still a schoolboy when he made his first visit to the Commons at the invitation of Dafydd Wigley – after Steff had written one of his letters, of course. Dafydd said he was immediately struck by a young man who had a passion for Wales, who already had an understanding of politics, and who had maturity beyond his years.

Steffan also corresponded with the Plaid Cymru Honorary President, Gwynfor Evans, and Gwynfor sent a Christmas card to Tredegar every year afterwards. One of them was particularly treasured. In that card, Gwynfor had stated that following Steffan's political development was a 'cause for joy', and these words meant so much to the young lad. At the age of ten, Steff had written a list of books he wanted to receive as Christmas presents after reading about them in a leaflet published by Cymdeithas yr Iaith. One was Gwynfor's book, *Land of my Fathers*. Having read the book, Steff asked for an opportunity to meet Gwynfor. This was arranged, and he travelled with his Dad to Gwynfor's home in Pencarreg for the

HOUSE OF COMMONS
LONDON SW1A 0AA

7 Mehefin, 1995

Mr Steffan Lewis,
29 Gladstone Street,
Crosskeys,
Newport,
Gwent NP1 7PL

Annwyl Steffan,

Diolch yn fawr i chwi am y llythyr 27 Mai. Roeddwn yn falch eich bod wedi mwynhau'r ymweliad â'r Senedd. Mae croeso i chwi gadw mewn cysylltiad â mi ynglyn â gwaith y Senedd ac ynglyn ag ymgyrchoedd Plaid Cymru.

Pob dymuniad da.

Yn gywir iawn,

Dafydd Wigley

Dafydd Wigley AS
(Caernarfon)

---

10 Tachwedd, 1995

Steffan Lewis,
29 Stryd Glaston,
Crosskeys,
Casnewydd,
Gwent.

Annwyl Steffan,

Diolch yn fawr i chi am eich llythyr dyddiedig 27 Hydref. Difyr iawn oedd nodi eich cysylltiadau gyda'r mudiadau Celtaidd yng Ngherrnyw ac Ynys Manaw.

O'm mhrofiad i o deithio ar y cyfandir, nid oes rhaid bellach o fod a 'GB' ar gar - mae platiau rhifau ar foduron yn unigryw i bob un o'r aelodau'r Gymuned Ewropeaidd, ac mae hyn yn ddigon iddynt allu dweud o ba wlad y mae'r cerbyd yn dod. Rwyf innau, wrth gwrs, wedi defnyddio 'CYM' ar y modur pan fum dramor yn y gorffennol.

Nodais yr hyn a ddywedsoch ynglyn â Chynhadledd Plaid Cymru ym mis Medi yn Aberdâr. Bydd y Gynhadledd Flynyddol nesaf yn Llandudno rhwng 19 a 23 Medi 1996. Mae gan bob aelod o Blaid Cymru yr hawl i siarad yn y Gynhadledd (a chymeryd ei fod yn cael ei alw gan y Cadeirydd!) ond cynrychiolyddion canghennau yn unig sydd â'r hawl i bleidleisio.

Roeddech yn holi am y ffurflen ymaelodi ym Mhlaid Cymru. Rwyf yn gofyn i Brif Weithredwr y Blaid anfon un atoch.

Pob dymuniad da.

Yn gywir iawn,

Dafydd

Dafydd Wigley AS
(Caernarfon)

---

18 Ebrill 1996

Steffan Lewis,
29 Stryd Gladstone,
Cross Keys,
Casnewydd,
Gwent NP1

Annwyl Steffan,

Diolch yn fawr i chi am eich llythyr pellach dyddiedig 6 Ebrill.

Fel y byddwch yn gwybod, mae dau fath o arian: mae'r cyfundrefn arian sydd fel arfer yn dibynnu ar gallu unrhyw wlad sy'n meddu ar gyfundrefn arian annibynnol, i reolu eu heconomi, i basio deddfau yn ymwneud â chyllid, ac i fod â'u banc canolog eu hunain. Hyd nes y caiff Gymru hunan-lywodraeth bydd hyn, yn anffodus, yn amhosibl. Wedi cael hunan-lywodraeth bydd yn bosibilrwydd.

Y math arall o arian yw'r math a ddefnyddiwn yn ein pocedi. Mae'n ddigon posibl, wrth gwrs, i Gymru fod â phunt gwahanol i bunt Lloegr - yn wir dyna yw'r sefyllfa ar hyn o bryd; ac mae gan yr Alban, fel y dywedwch, bapur punt yn dal i gylchredeg. Ond, nid oes gan yr Alban yr hawl i amrywio gwerth eu punt hwy yn erbyn y bunt Seisnig, dyweder, oherwydd eu bod yn rhan o'r un wladwriaeth.

Am flynyddoedd bu'r Iwerddon â phunt a oedd yn ymddangos yn wahanol ond oedd pob amser â'r un gwerth a'r bunt Seisnig. Penderfynodd yr Iwerddon, rhai blynyddoedd yn ôl, i ddatgysylltu ac erbyn hyn mae'r bunt Wyddelig gwerth mwy na'r bunt Seisnig.

Gall y ffactorau hyn, wrth gwrs, newid pan fydd yr ERM yn symud ymlaen o fewn y gyfundrefn Ewropeaidd, a'r cwestiwn felly yw beth fydd y gyfundrefn Ewropeaidd pan caiff Cymru ei llywodraeth ei hun.

Diolch yn fawr i chi am ysgrifennu.

Pob dymuniad da.

Yn gywir iawn,

Dafydd Wigley

Dafydd Wigley AS
(Caernarfon)

A few of Dafydd Wigley's replies
to Steffan as a schoolboy.

meeting. As well as being an unforgettable event for the young boy, it inspired him to want to make his own contribution in the world of politics.

In an email to Gail after Steff's death, Miss Helen Rogers, a former teacher at Ysgol Gyfun Gwynllyw, wrote that she remembered Steffan introducing himself to her in school with a copy of *Land of my Fathers* in his hand, stating that his ambition was to be the Prime Minister of a free Wales one day:

> Steff was a lovely boy, and he was in the first class I taught here at Gwynllyw back in September 1995 and that memory has stayed with me. He introduced himself during that lesson and told everyone that he was a proud Welshman from Tredegar and his interest was politics. He showed everyone the book he was reading at the time which was Gwynfor Evans's book, and he told us that Gwynfor was his hero. Aged 11, he shared his ambition to become First Minister for Wales, and he certainly has achieved a fair amount of that ambition.

As a result of his Dad's influence and by reading Gwynfor Evans's books, Steff developed a keen interest in his country's history. During the school holidays Mark would take Steffan and Siân to visit the castles and other historic sites of Wales, reciting the local and national history to his children. Years later, after Gail had remarried and had another child, Nia, Steffan decided that it was his duty to ensure that his younger sister also understood the history of Wales. Nia remembers those regular trips with her big brother:

> As I grew older, Steff ensured that I was aware of Wales's rich history and the importance of taking pride in our culture and history by taking me to almost every single castle in Wales by the age of twelve. I feel very lucky that I had that time with Steff because I wouldn't be the person I am today without him.

Throughout his life, Steff firmly believed in the need for us to understand our past in order to be able to steer a better future for our country and for ourselves. Neil, Steff's stepfather, remembers first getting to know the young schoolboy and being enthralled by his knowledge of the history of the area, of local buildings and landmarks, and by his ability to interpret all of that in the context of the position of Gwent today.

Understanding the history of his own family was also important to Steffan and he took pride in his Celtic connections after discovering that his father's roots were in Ireland. He researched the history and it came to light that this side of the family had left Ireland for Liverpool, before travelling to Cardiff, at the time of the Great Famine. Steff often said that knowing this was very important to him and had influenced his politics and sense of identity.

Nevertheless, Steff always rejected the temptation to romanticise the past or to mourn the loss of a past Wales. His vision, from a very young age, was based on creating a new, confident Wales and to reject some of the practices of the British state which he claimed had made the Welsh subservient. At the age of twelve for example, Steff wrote to the then Archdruid, Dafydd Rowlands, saying that he wanted Wales to reject the Queen's honours list, and instead to create an alternative system which would allow the people of Wales to recognise the successes of their fellow countrymen and women. The Archdruid responded by saying that this was a fantastic idea, and thanked him for his contribution by sending tickets for Steff and his family to attend the Chairing of the Bard ceremony at the National Eisteddfod.

It is very possible that that ceremony influenced Steff to compete, and then to win what his teacher described as 'the double' at Ysgol Gyfun Gwynllyw's school Eisteddfod – the Chair and the Medal for English-language prose. The theme was of course Wales and Welshness.

This however was not the only reason why Steffan Lewis was an interesting and well-known character among his classmates and teachers at Ysgol Gwynllyw. In 1997, he captured the attention of the press and media after delivering a speech on the stage of the Plaid Cymru conference in Aberystwyth at the age of fourteen. He made quite an impression. Several people made the comparison with the former Tory leader William Hague's speech at the Conservative Party conference when he was just sixteen. 'Hague was a late bloomer,' would be Steff's mischievous response.

Steffan also had wider interests. He shared his love for football when he was a child with his brother Dylan and his step-father Neil, spending hours together creating Subbuteo championships and leagues. Steff later became a Wrexham supporter, as well as a fan of Celtic, and Wales of course! On the *Beti a'i Phobol* programme, Steffan explained his reason for supporting Celtic, and how, in becoming more aware of his Celtic identity, he had come across a club in Glasgow that had been 'formed by Irish refugees'. The Celtic Football Club had been named in order to bring the Scots and the Irish together, and one of Steff's favourite songs was a song sung on the terraces by Celtic fans, 'The Fields of Athenry'. From time to time, Steff sang among them, sometimes with his wife Shona or step-dad Neil at his side, when an opportunity arose to travel to watch the club play.

Nia, Steff's sister, says that one of her first memories of her big brother is when he gave her a 'cwtsh' on the sofa at home in Tredegar, and waved her hands from side to side whilst teaching the little girl every word of the song.

Steff also sang 'The Fields of Athenry' to his son when he was a baby, and Steff was at his happiest when Celyn was by his side, or in his arms, and they watched football together. 'The Fields of Athenry' was also the song Steff himself chose for his own funeral, to be played as his coffin went on its final journey on the shoulders of his friends from Abercarn's Welsh church.

When the first elections to the National Assembly were held there was another politician who had aroused Steffan's admiration – Dr Phil Williams, who was standing for Plaid

Cymru in Blaenau Gwent. Steff was sitting his exams, and the time he devoted to studying, compared with the daily hours of campaigning, was a cause of some anxiety for his mother. Plaid Cymru's former General Secretary, Dafydd Williams, wrote thus about Steffan's contribution to that campaign:

> I got to know Steff during the first elections to the National Assembly in 1999. Phil Williams was the party's candidate in the Blaenau Gwent constituency and as a friend of his, and former General Secretary of Plaid Cymru, I was involved in the lively campaign which was run from our high street office in Tredegar. Steff would come in on a regular basis, turning up almost every day after school. It was clear to everyone that he had so much potential.

Phil Williams himself had also recognised Steff's potential contribution to the world of politics and he spent hours at Steffan's home in Tredegar discussing his ideas and his vision for Wales.

After the election in 1999 Steffan approached Jocelyn Davies, who had just been elected as one of the Assembly Members for the South East, and applied for a work experience placement with her in the National Assembly. Jocelyn remembers his enthusiasm and excitement:

> He had helped us out in the historic Assembly elections of 1999, and it came as no surprise to me that he later contacted me about a work placement in the Bay. He was 15, and he spent that first summer making his way down from Tredegar to help me and to learn, meeting everyone, and just being part of the excitement of it – I think he also tried out my chair for size while I was out of the room! Already planning, no doubt. On the journeys home with Mike and I in the car he talked of his plans for A levels, of Welsh history (I think he'd visited every castle in the land) and of what devolution meant to him – the dawn of a new Wales.

Steff was desperate to play an active role in the newly devolved Wales but was acutely aware of his need to continue his studies, first to gain a university degree and to learn more about the world.

After leaving Ysgol Gwynllyw, Steffan took a gap year, and worked for a time at the Temple of Peace in Cardiff, where he met two individuals who would become lifetime friends, Stephen Thomas and the Reverend Aled Edwards. After a time working in Cardiff, he travelled to the United States, spending some time there before returning to Cardiff to take up his studies once again at the capital's University, and this time it was Religious Studies which attracted him.

During that time, the political situation in the Assembly was in turmoil and, in Steffan's mind, several developments had made the organisation seem weak and fragile. Alun Michael had resigned as First Secretary, there was constant wrangling within Plaid Cymru and this young man from Gwent, who had been so excited in the first instance by the advent of devolution, was beginning to lose patience and enthusiasm. Jocelyn Davies understands why Steff felt so frustrated at the time:

> We lost touch with our young friend... and he told me later that during that time he'd even flirted for a while with the Wales Independence Party. I think he'd felt a profound deflation when it became all too obvious that the powers the Assembly had at that time were not going to build the Wales he was expecting to see.

But during that time too, Steffan met a person who would transform his life and open its most important chapter. In a Cardiff pub, in January 2006, Steffan chatted with a young girl who was visiting our capital city – Shona Douglas of Inverness.

Shona's maternal grandfather, known to her as 'Papa', was born in Cardiff – and her mother's sister, Auntie Ann, subsequently lived in Penarth with her husband and their children. Shona, her sister Caroline, and their mother visited Penarth and on one occasion the cousins went on a night out together. The capital's Buffalo Bar became the location of Shona's first meeting with the young Welshman and she describes the moment as 'very much meeting somebody the old fashioned way, a chance encounter in a pub with someone I knew I wanted to be part of my life despite the distance between us', followed by an exchange of phone numbers, text messages and phone calls. Within weeks Steff had travelled to Inverness to see Shona. He had suggested that the two might meet during one of his visits to Glasgow to watch Celtic play. But Steffan in fact chose to forget about watching the football, and much to Shona's surprise, travelled directly to her, in Inverness.

A fortnight later, Shona travelled to see her new boyfriend in Cardiff, and that was how it was for the first few months of 2006 – one travelling the 555 miles to see the other once a fortnight and their love for each other growing with each visit.

Steff had distanced himself from the party at this time, partly because of his disappointment with devolution but also because he needed to find his feet and discover a career path.

At end of April, his old friends in the south-east Wales region were searching high and low for him – urgently trying to find him after losing contact some years earlier. The Member of Parliament and Assembly Member for Blaenau Gwent, Peter Law, had passed away, leading to two by-elections in the constituency – for both Westminster and the Assembly. Plaid Cymru had decided that they would not put up much of a fight in the Assembly by-election as Trish Law had declared that she would stand as an independent candidate. Trish was the widow of the late Peter Law, and she was close, both politically and on a personal level, to Jocelyn and Plaid Cymru. The party nevertheless wanted to fight harder in the by-election for the Westminster seat against Owen Smith of the Labour Party and the Independent candidate, Dai Davies. Plaid Cymru needed a strong, local, credible candidate, and despite reservations expressed by a few individuals, the regional AM, Jocelyn Davies, was convinced that the candidate should be Steffan Lewis.

59

In the end Jocelyn managed to track Steffan down and he agreed to re-join the party and stand as the parliamentary candidate for Blaenau Gwent.

In his tribute to Steff in the magazine *Barn*, Jonathan Edwards, who was at that time working as a strategist for the party before becoming a Member of Parliament himself, wrote that he remembered the early discussions about the candidacy of the young man from Tredegar. He also remembered how his performance in that election had prevented the Labour Party from capturing the seat:

> I have to say I had some doubts about the idea of placing a 22-year-old in the cauldron of a parliamentary by-election. My misgivings disappeared after spending five minutes in his company to discuss the campaign ahead. I became aware of the fact that I was dealing with a tremendous political talent.
>
> It was a pleasure to work with Steffan as a candidate. I heard not a word of complaint from him and he displayed total dedication even though the prospects of victory were hopeless. The most remarkable thing about Steff was his maturity and he was unquestionably the star of the television debates, despite Labour picking one of their most talented politicians – Owen Smith.
>
> To begin to understand something of this Tredegar man's ability, look at the results. Support for the party increased by 4.1% in the parliamentary election while it fell by 5.5% in the Assembly by-election. Steffan's performance was one of the main reasons why the Independent, Dai Davies, succeeded in taking the seat.

Despite still living in Inverness, Shona visited Wales to support Steffan during the election campaign in 2006. This was her first introduction to Blaenau Gwent, to the valleys and to the politics of her partner. Although Steff told Shona that he would never try to impose his politics on her, she had a desire to know more about Plaid Cymru. She campaigned with him, a new experience for her, and the memory of canvassing and distributing leaflets alongside her new partner is a happy one for Shona.

'It was during this visit that while driving his mother's car, we first listened to the song Steff chose in the Beti George interview,' says Shona, speaking of the song 'Blaenau Ffestiniog' by Y Tebot Piws. 'It always brought such happy memories for both of us over the years as we remembered our early months together.'

Shona was delighted of course to see Steffan so happy. She remembers how Steffan enjoyed talking to the local residents and campaigning in the company of his Plaid friends, whether in the Blaenau Gwent by-election or later, when they lived in Blackwood and Steff stood as parliamentary candidate in Islwyn in 2010.

Steff always enjoyed talking to people, whether it be the residents or the social aspects of campaigning with activists. Many of his Sunday mornings were spent enjoying the company of friends while delivering leaflets.

The team of friends he made during the 2006 by-election continued to be very important to Steffan for years to come – although this tightly-knit, local group were over twice his age. Among them was Glyn Erasmus, who later became Plaid Cymru's Treasurer – a man of clear opinions and a dry sense of humour who, along with his wife Carol, treated Steff as an additional son. Another member of the gang was the unassuming nationalist Jim Criddle, as well as Malcolm Parker, the avid runner and tireless campaigner. In Steffan, Malcolm had someone who would listen eagerly to the old tales of the national movement in Gwent, and Steff enjoyed every second of hearing the anecdotes about the party's development in the area. With his wise counsel, Glanmor Bowen-Knight was also in this team. As Glanmor used a wheelchair which limited his ability to join the campaigning on the street, he contributed by inviting the others to his flat in the evenings to chew the cud and ponder the latest developments, and that's where they would be, conspiring and planning.

'It was like a scene from the old BBC comedy series, *The Last of the Summer Wine*,' according to Jocelyn Davies. 'Steffan had been accepted in to their midst as a bosom friend, and their deliberations would often continue on car journeys as they travelled together to conferences and meetings of the party's National Council.'

During the first half of 2006, Steffan made three major lifelong decisions. He was in love with Shona, and was determined that he wanted her to be part of his life forever. He decided to give up his course at Cardiff University in order to identify the direction that was right for him. He also wanted to continue to be politically active.

For a short time, in the summer of 2006, Steffan stayed with Shona in Scotland. He got a job in the blood transfusion service there, and had the opportunity to get to know Shona's family better. The young couple were happy and Steff felt very much at home in Inverness, as he would over the next 13 years of visiting the city. During that time, a close relationship would develop with Steffan becoming known as a dear son-in-law to Shona's parents, John and Elaine. In no time at all that first summer, he had made new friends, and he was happy enough going on his own to the Johnny Foxes pub, or to the Gellions in the centre of Inverness, to socialise or to watch football on television. Then, one day, at the peak of a Cairngorm mountain after travelling up the funicular railway with John and Elaine, Steffan and Shona declared their intention to move to Wales. This was a big step for Shona, but she was convinced that they were doing the right thing:

> I knew there was something special and he was someone for whom it was worth moving my whole life and leaving my job, and my family.

So in September 2006, the two moved to Cardiff and subsequently to Blackwood, and Shona took a job in the NHS. Steffan worked for a time at Plaid Cymru head office, Tŷ Gwynfor before being recruited in 2007 to work for Bethan Jenkins, Assembly Member for South Wales West. With Shona at his side, Steffan was happy in his personal life, and the couple enjoyed a close friendship with Anne Morgan, who also worked for the party, and her now husband Daniel Mason.

Seeing Plaid Cymru, under Ieuan Wyn Jones's leadership, become a party of the Welsh Government fuelled Steffan's ambition to enter the political world in his own right. To Steffan, being in government and proving that the party's elected members could deliver practically, sensibly and effectively as government Ministers, was an essential step in Plaid's journey towards winning the trust of the people of Wales in the vision for independence. He had little patience with those who thought that being in opposition, and not collaborating with others, was the way to achieve Plaid Cymru's political objectives. For him, those who wanted to see Plaid Cymru as a pressure group or a campaigning organisation, neglected the need to prove Plaid Cymru's credibility, ability and authority to be a party of government. Even though Plaid was in coalition as a minority partner, Steffan was convinced that this was a major step forward in mainstreaming Plaid Cymru's politics in the minds of the electorate.

During that period, Steffan was key in bridging the team in government and the party volunteers, along with other members of staff such as Helen Bradley, Steve Thomas, Morgan Lloyd and Geraint Day. Nevertheless he also felt an element of frustration – Steffan still felt the need to complete a degree course and prove his academic ability. In 2008 therefore, he enrolled to study History and American Studies at the University of Glamorgan. At last, he was studying a subject he was able to enjoy, and he used this opportunity to write an extended essay, and to conduct detailed research into the history of poverty in the Bedwellty parish during the two world wars.

In 2009, Shona and Steffan married in Inverness. Forty people travelled from Wales to Scotland for the occasion, including Steffan's close friend, the Reverend Aled Edwards. The couple had decided to ask Aled Edwards to administer the wedding bilingually which, Shona said, had been an important decision for them:

It was a lovely day and an honour to have Aled there. I was introduced to him during a coffee in the Millenium Centre, and afterwards Steff asked me what I thought. I said, 'He's got to marry us' and we asked him to travel to Inverness for our wedding.

Their friend, Anne, remembers seeing the surprise and pride on Steffan's face when he heard his bride making her wedding vow in Welsh. Steffan's sister, Siân, who was also one of the bridesmaids, had recorded the vow on an MP3 player and, secretly, Shona had been practising her Welsh when Steff wasn't around to hear. The occasion, Steff told friends in recalling the day years later, was 'perfect', with the singing and dancing lasting until the early hours.

After the wedding and the subsequent honeymoon in California, Steffan continued with his degree studies whilst working part-time for Jocelyn Davies in Newbridge, where he became a close friend of Jocelyn's husband, Mike. These were very happy years together for Steffan and Shona. The couple appreciated the company of their friends, enjoying short breaks and weekends away with Anne and Daniel in Pembrokeshire. She remembers her husband as a fun, exciting person who loved planning holidays and days out. Steffan was also enjoying his studies at the University of Glamorgan, whilst working diligently for Jocelyn Davies. When he was selected as parliamentary candidate for the 2010 General Election, Steffan was in his element going 'out on the stump' to campaign with his old friends Glyn, Malcolm, Jim and Mike, the same gang who had supported him in the 2006 campaign. Once again, Steff succeeded in increasing the Plaid Cymru vote, securing 13% of the share in Islwyn during what was a very difficult election for the party nationally, with the Conservatives regaining power in Westminster. For Steffan, that result was further reason for trying to secure victory in the battle that Plaid Cymru really wanted to win in the following year – the referendum for law-making powers for the Assembly, and he became involved immediately in the party's planning.

Steffan had developed a very close relationship during this period with the Plaid Cymru Ministers and advisers in government and was a regular contributor to strategic conversations. They valued his empathy with the people of the valleys, his connections with communities in Gwent and his ability to provide sound ideas for the messages that would resonate in those areas. His understanding of Scottish politics was also crucial during this time, as the collaboration in planning the next constitutional and political steps grew between Plaid Cymru and the SNP.

Steffan's great aspiration was to see Plaid Cymru being able to win the trust of the electorate to govern Wales alone, so as to win the right to present the independence question before them in a referendum. However, in a changed political climate, there were to be no rewards for the minority party of the Welsh Government in the May 2011 Assembly elections, and Plaid Cymru lost four seats.

Steffan was convinced that what had kept the two regional seats for Plaid Cymru in the South-East was the fact that they had run a positive and strategic campaign. In Gwent they had highlighted Plaid's successes in local government, while emphasising the failures of the Conservative government. This was in contrast to a number of Plaid campaigns in other constituencies, where the bullets had been aimed at the Labour Party – despite the fact that the two parties had governed together for four years.

Though Steffan felt downhearted at the result, with legislative powers transferred to the National Assembly, and with the SNP government in Scotland preparing for a referendum on independence, he also recognised that there were interesting times ahead. By this time, Steffan had graduated and he was working full time for Jocelyn Davies.

In November 2011, Steffan suffered a heavy personal blow when his father Mark died suddenly. It was a very difficult time for Steff and his sister Siân. Neither had reached thirty years of age, and yet, with the support of their family, they had to face burying their father. During this time, the support of his family and his friends in Plaid was very important to Steffan, and they came together to be with him during the funeral in Blackwood and to support him in the difficult weeks that followed.

At that very time, Plaid Cymru was also in the middle of an election to choose a new leader, following Ieuan Wyn Jones's decision to step down. Steff had expressed his support for Elin Jones, mainly because he believed that Elin had been an effective Minister in government, and that her experience would be invaluable if Plaid had the opportunity to be in government again at some point. His concern about Elin's rival, Leanne Wood, was that he was not convinced, at that point, that Leanne was interested in leading a government.

However on 12th March, 2012, Leanne Wood was elected leader of Plaid Cymru, opening a new chapter in the party's history. Leanne soon realised that she needed a team of people around her whom she could trust absolutely, and she understood that the team needed to include people who were not necessarily her natural allies, or shared the same views as her. Specifically, she needed a special adviser – someone who would be able to support her with day-to-day political decisions and long-term strategic issues and assist her in writing speeches and making political interventions. Steffan's name was suggested to her, and Leanne was aware that the young man from Blackwood had acquired a reputation as an intelligent and articulate individual who was able to bridge Plaid Cymru's political factions. Steff was appointed to the post, and despite his initial doubts about Leanne, he worked for the new leader with utter sincerity, loyalty and diligence for the next four years.

It wasn't an easy time. The political landscape was unfavourable to Plaid Cymru and the demands upon Leanne, and therefore her team, to radically transform the party's performance were substantial. From time to time the differing attitudes and viewpoints of these two strong individuals manifested themselves, occasionally, in disagreements or tension – especially over the content of press releases or speeches. Despite that, the leader and her adviser would always find a way forward – by conceding or compromising or winning arguments – and the two would move on, the hatchet buried, to complete the next piece of work. Everyone else in the team would be aware that the two had quarrelled when Steffan would send an email referring to Leanne as 'your leader' – causing everyone to laugh and roll their eyes.

Nevertheless, trust and a very close friendship developed between the leader and her staff member, and undoubtedly more united them than divided them – particularly in the importance they both placed on strengthening local communities. To Steffan, as to Leanne, many of the answers to the social and economic problems of Wales lay in the individual communities themselves. Several times Steff wrote about his vision for promoting community socialism as a way forward such as in this article for the website of the Institute of Welsh Affairs, *Click on Wales*:

> Prior to my election, I was determined that if I made it, I'd want to put community socialism at the centre of my activities. That means actively seeking local issues in the community and bringing people together to find community solutions. At a time when faith in politicians is at a real low, I believe it is important that we take a fresh look at how we do things and rethink our politics so that it isn't simply about 'listening to people', but about cementing their active participation in our political life.

Fundamentally this was the essence of Leanne Wood's vision too, and this, she felt, would be the salvation for the economy and communities of Wales.

The relationship between the leader and her consultant was put to the ultimate test during the 2015 General Election campaign. Before that election, Plaid Cymru's leadership had spent some time trying to persuade the major broadcasting companies that the leader of Plaid Cymru should be included in the televised debates. Privately, there were mixed feelings about this prospect – understanding the many benefits on the one hand of being able to convey a message on such a large platform, but on the other, the very real risk of making a mess of things. The most detailed briefing document ever prepared for any Plaid Cymru leader was produced by the team, and weeks were spent rehearsing with the leader – cross-examining her, and preparing arguments and appropriate responses.

Steff was acutely aware of the responsibility. The expectation among other parties and the political commentators was that Leanne would not be able to cope under such pressure and in such a forum, and both Steffan and Leanne were determined to prove them wrong. He travelled with Leanne to and from the studios in Cardiff, Manchester and London throughout that campaign. Sometimes, the pressure of that responsibility was such as to make him feel ill, so that at times he couldn't bear to watch the leader live on television!

On top of all this, Steffan was himself a candidate in that 2015 General Election, this time back in Blaenau Gwent. Despite the fact that Plaid Cymru had virtually stagnated at a national level in that poll, Steff once again managed to increase his vote by almost 5%.

As if being an adviser to the leader, fighting a General Election campaign and preparing for television debates was not enough, Shona was preparing to give birth to their first child. This, more than anything else in his life at this time, was the source of Steffan's happiness. The idea of being a father filled him with excitement and joy. Celyn Douglas Lewis was born just over two weeks after the General Election, three weeks early, by an emergency Caesarean, and Shona remembers Steff's face as he held his new baby in his arms:

> I remember being in the hospital in the middle of the night and Steff holding him, and his smile, it was lovely. It was beautiful that night, and the bond was immediately there between them. He took such pride in caring for Celyn in those early few days, taking great

care when wrapping him up in his blankets. Becoming a father really made Steff.

Steff was determined that Celyn would be immersed in love and enjoy the happiest possible childhood. He enjoyed bathing the little baby and would refer to all three – Shona, Celyn and himself – as 'the team' or 'fam', short for the family.

By this time, of course, Jocelyn Davies had announced that she would cease to be an Assembly Member for South Wales East in the 2016 elections, and Steffan was very well aware that the expectation among everyone in Plaid Cymru was that he would take her place at the top of the party's regional list. That was also what Jocelyn herself wanted, and a year after the birth of Celyn, Steffan did just that.

In May 2016, he took his oath as Assembly Member for South Wales East, in a ceremony in the Senedd chamber with his wife Shona, his son Celyn, his mother Gail, his step-father Neil and his sister Nia present. To Steff, he was realising a life-long ambition in the warm presence of his proud family. Having worked for experienced politicians for almost ten years, and learning so much from them, Steffan was prepared to face the challenge himself. At the same time, he also recognised the scale of responsibility and the expectations others had of him – but more so, the high standards and expectations he set for himself. On the *Beti a'i Phobol* programme, he described his feelings while sitting in the chamber for the first time as an Assembly Member:

> STEFF – I was sitting in the Chamber, and I was very nervous, shivering...
> BETI – Why?
> STEFF – I'm not sure, I think just the fact that I was there, that I'd been elected, the fact that I was sitting there as a Member of our Senedd meant so much. I was very concerned about my first question or first speech, and I saw Alun Davies, I think, the Labour member for Blaenau Gwent, and he said to me, 'Just a little bit of advice', he said, 'When you have the opportunity to speak, just go

for it and get it out of the way as soon as possible and you'll be fine after that'. And he was right, so, I looked for the first chance to speak, and I felt a lot better after that, it was out of the way. But the Assembly, it is like every parliament, though you do not feel it when watching it, but because of the way the acoustics are in the chamber, it is one of those places where if members are fed up with hearing your voice, you can hear them. It is a very critical place. I think there is some sort of image of the assembly that it is a happy and friendly place, it is usually a very polite place but it is a real parliament and it can be quite rough at times.

Despite his ability to scrutinise thoroughly and to argue fiercely over what was important to him, Steffan did not enjoy confrontation, and certainly hated tribal, partisan politics based on going head-on with an opponent, or another party, above all other considerations. Steff much preferred trying to seek consensus, to look for common ground in order to move things forward, and was convinced that doing so led to more progress being made for the cause than would be achieved by fighting with others. He hated the nature of the public discourse that had developed in politics and on social media, and he would grasp every opportunity to foster an atmosphere of mutual respect and tolerance, as on the occasion when he addressed a public meeting in Pontypridd in 2017:

> There is an element of toxicity to a lot of political debate at the moment, especially on social media and especially in light of the EU referendum and so on. So I just wanted to say that I hope that all of us here this evening, no matter which way we voted in the referendum or what our political allegiances are, can agree that we conduct discussions, yes robustly but always respectfully.

That tolerance, and the willingness to listen and to conduct politics in a way that showed respect for others, was one of the reasons why politicians across the political spectrum were so ready to listen to Steffan when he had something to say. That is also how he impressed so many others, and how he gained so much influence during his short period as an Assembly Member – particularly during the negotiations on leaving the European Union. The outcome of the referendum on the United Kingdom's membership of the European Union had been a huge disappointment to Steffan. He had always considered the constitutional future of Wales in the European and international context, and was very concerned that this outcome would give the UK government a reason to undermine devolution and re-establish a more British context to the politics of the countries of these islands.

Nevertheless he was always convinced that the answers to every challenge and problem were in the hands of the people of Wales themselves, and he disliked the sort of nationalism that sought to portray Wales as a poor, helpless nation suffering from the oppression of others. In his interview with Beti George he said:

> What I think is possible is to have a revolution of the mind as a nation, to display the self-confidence that we demonstrated 20 years ago and decide that we no longer want to be victims, that it is not everybody else's fault all the time, that we can take responsibility for our own affairs, and by working with others, we can build a fair and prosperous economy here in Wales. I am determined that we could make it. There are small countries around us in Europe which are successful, why can we not be successful too?

In that context, he was determined to find a response to Brexit not only by protecting the National Assembly's powers, but one that also offered a way forward – offering vision. Steffan highlighted this in his speech to Plaid Cymru's annual conference in 2017:

> The Political context we find ourselves in today demands of us not simply a defensive response but more than ever, it demands we present our fellow citizens with a vision for our nation that can inspire and excite. We are not here as political commentators, to

71

simply describe problems or cry foul play. We're nation builders. And as nation builders, our biggest obligation as we seek to lead our country is to take on those whose ideology and dogma are running roughshod over the interests of our people.

And this was of course the basis for the introduction of the idea of a Continuity Bill for the governments of Scotland and Wales – not only as a proactive way, as Steffan saw things, of defending the powers of the devolved institutions, but also as a way of highlighting this threat among the people of these nations. His thinking was always that we needed to overcome despair or apathy by introducing new ideas and a clear vision. This was evident in one of his last speeches in the Senedd in 2018 in response to the repeal of the Welsh Continuation Bill. He said that the Assembly was at its best when the parties were being forced to work together 'for the good of the nation':

> It has been clear from the outset though that members from almost all sides were able to agree that legislating in order to uphold devolution in the context of withdrawal from the EU was appropriate and necessary. I happen to believe that it was among the finest hours of this Parliament that we acted across party lines in the interests of something far greater than ourselves as individuals or as individual groups: our political nationhood.

*

After that speech in November 2018, Steffan sat back in his chair writhing with pain. It was beginning to dawn on his friends, and all Members, that the time would soon come when the member for South Wales East would not be among them. It was only a year since Steffan had begun to notice that there was something wrong with his health. When Steff went to the doctor, the GP scheduled a scan within a few weeks in hospital. However the pain had become too much and he took himself to the Royal Gwent Hospital in order to try to get answers. Then, on the 13th December, 2017, with Shona at his side, Steffan was told that he had a tumour in his bowel and that the cancer had already reached stage four and spread to the liver. Steff described the moment when he heard that news to Beti George in his interview:

> At the time I was in so much shock that I didn't really know what to do. I remember calling fellow assembly members to let them know what was happening and obviously the family, and then before you had the opportunity to process it, suddenly life changes very much and turns into a series of appointments. In a way I am glad that those appointments kept me very busy. I'm not sure that I would have coped with that situation had it not been for the fact that appointments were coming by post every other day.

Steff had received the worst possible news, but he tried to deal with the situation in a way that enabled him to take care and consider the feelings of everyone else around him. That same afternoon after receiving the news, Shona went with him to his mother and Neil's house. They had been looking after little Celyn, and the family – Gail, Neil, Nia, Siân and her husband Dan and baby Tomos – were waiting for them both to return to Tredegar. The family sat together, before Steff courageously announced, 'Right, this is as low as we are going to get, OK? Today, we can cry, but tomorrow we get up and move onwards and upwards.'

In the months following the diagnosis, he did, nevertheless, allow himself to feel angry that this was happening, to feel cross and to question why this had happened to him, as is right for anyone to feel when confronted with a situation such as this. He was not afraid to die, but he was cross – disappointed that he would not be able to grow old with Shona and see Celyn become a man, and that he would not be able to do the things he yearned to achieve. In an interview with the *Western Mail*, he said:

> I'm very conscious I'm the protagonist but my family, my friends – of course none of them want to lose me.

They want me to overcome and succeed and defeat this. It has an effect on them emotionally too. I would say externalise it.

There's an awful lot of talk about staying positive. Do you know, some days you're not going to be positive, and that's fine.

Be negative; be angry – you're entitled to if you want to. Be gutted, be low, question it.

Ask yourself: "Why me?" Allow yourself to go through the emotions because I think ultimately you end up in a place where it becomes easier to come to terms with it: you've put yourself through that emotional roller coaster.

In December 2017 Steff was facing an emergency operation at Gwent Hospital. His situation was so severe that the doctor decided to defer his annual leave in order to remove the bowel tumour a few days before Christmas.

In the weeks that followed, Steff became slightly stronger, and some weeks afterwards, to everyone's surprise, he returned to work. By the end of January, he was supposed to embark on a course of chemotherapy at Prince Charles Hospital in Merthyr Tydfil, but he was taken ill and found to have sepsis. His liver was beginning to fail. He was quickly transported to Felindre Hospital in Cardiff and treated for the sepsis. He was there for a few weeks, seriously ill, and was warned by one oncologist that he should start 'writing his letters now'. Steff did not give up however, despite the warning about his condition. He gained sufficient strength for him to start chemotherapy, which came as a major relief to Steff:

> ...I thought well, ok, 'no', I'll do that but I'm still wondering if I can just start on the chemo there will be a chance, and fortunately for me, I started on the chemo and I responded very well to it. That definitely gave me a second chance but all of them at Felindre thought I only had a matter of days.

He later admitted that defeating the cancer at that time had turned into a daily obsession for him. He told the *Western Mail* reporter Martin Shipton that he felt that he was facing an election, and every day was a 'campaign day'. With time, he came to realise that that feeling of continuously fighting it was not sustainable, and instead he turned to his family and to his work in order to escape the reality of the illness:

> So having an escape through work has been invaluable and being better enough to participate in these really interesting – albeit very complicated and frankly dangerous – times, has been a big welcome. I would say that along with having my family and particularly my son – he brings such joy in really dark times – having work as well and being intellectually stimulated has helped me greatly to get through this ordeal.

He began to take a step by step approach to his journey with cancer. His goal initially was to see Celyn going to nursery school in his new school uniform, which he achieved. His next ambition was to get to Christmas and enjoy Christmas Day at home with the family.

There were several other happy days in the course of that year in spite of everything. One was the sponsored walk on the 14th July, in Steffan's name, to raise funds for Felindre. It was Steffan's sister Nia's idea to announce a fundraising campaign to celebrate her big brother's 34th birthday and I brought a gang of friends together to help Nia with the arrangements. They included Manon Antoniazzi, the Chief Executive and Clerk of the Assembly, former Assembly Members Ieuan Wyn Jones and Nerys Evans, Aled Elwyn Jones from the Assembly Commission staff, along with staff, present and past, from Plaid Cymru, Math Wiliam, Elin Llŷr, Elin Roberts and Helen Bradley. It was decided to organise a ten mile walk from the Twmbarlwm mountain near Risca, through the Sirhowy Valley Country Park to Gelligroes and then Blackwood.

One of my duties was to decide upon the route, and several unsuccessful attempts were made to map the journey on foot in the wind and rain (whilst becoming completely lost in this beautiful part of Gwent), before it was finally confirmed.

The day of the expedition was a memorable one with over

200 walkers in the South, and a team walking an equivalent route along the northern coast as well. They were made up of members from all the other political parties, together with friends, family, colleagues and Steff's supporters, and together, over £28,000 was raised for Felindre Cancer Centre. Steffan, who was well enough to be present at the start and end of the walk, was delighted. With television cameras and some journalists covering the effort, he saw this as another opportunity to raise awareness about bowel cancer, as well as an opportunity for fundraising. Nia was extremely pleased that she was able to do something positive in support of her big brother.

As the autumn months flew by and Christmas grew closer, Steff's condition deteriorated. Just before Christmas, Steff and I met in the Halfway Inn pub, not far from the route of the walk. Steff was in pain, and he fully expected to have to go back into hospital very soon, but was determined to be home over Christmas with Celyn and Shona.

After spending about an hour sharing fond memories of the past, Steff admitted for the first time that the cancer had defeated him. He said, in the midst of a hug, that it was okay to cry about this, because he had cried many times about the sadness of his situation as well, and for what was facing his mother, sisters, brother and especially Shona and Celyn. At first words failed me. There was no point trying to pretend to Steff that everything would be okay and he didn't want to hear me saying that. Instead, I used the last precious time in his company talking about how good a friend he was, and emphasising how much he had achieved for his family, for the party and for Wales.

Steff had his wish to be home on Christmas Day with Shona and Celyn in Blackwood before travelling to be with his family in Tredegar later that day. Shortly afterwards, at the beginning of the New Year, he was admitted to Ysbyty Ystrad Fawr, Ystrad Mynach, where he received the best palliative care. There Steff died, aged 34, with his wife, his mother and his stepfather beside him, immersing him with their love until the end.

Steffan was adamant that he did not want to be defined by his cancer, whether alive or dead, and he succeeded in achieving that. In the hundreds of tributes which poured in after his death, there was widespread recognition of what Steff had achieved as a politician, both locally and nationally. He was described by the new leader of Plaid Cymru, Adam Price, as the 'perfect son of Wales' who had in him the ability to be the 'father of the Nation' too. The first Minister, Mark Drakeford, said that Wales had lost a 'thoughtful, sensitive and committed' man. Steff had made a 'tremendous contribution' according to former First Minister Carwyn Jones. Steffan 'not only put forward powerful and intelligent arguments', said Assembly Conservative leader Paul Davies, but 'he always added something new to the debate'. Steffan was 'a lovely man and a first-class politician' according to the Scottish First Minister, Nicola Sturgeon, and on behalf of the Irish Government, their ambassador, Adrian O'Neill, said that Steff 'would be remembered not only for his distinguished career... but also for his passion and enthusiasm for developing bilateral relations between Ireland and Wales'.

Important as it is to remember Steffan for his contribution to public life in Wales, in his final days, the one thing that weighed heavily on the young father's mind was that his son would not forget him. To Steff, Celyn's love gave meaning to his life – a wider purpose even. In his interview with Beti George, Steff said:

> It gives context to everything. Going to the park with him on a Sunday afternoon... If I manage to do that, it is the highlight of the week. And he's at the age now where his true personality is starting to form, he communicates a lot better, and we've developed a very important bond and... it's important for me to create that bond in case he forgets me.

He didn't need to worry about that. Celyn today has a mother, grandmothers, aunts, uncles, family friends and others who will share with him a multitude of stories about his very special father, and will keep the memory of him alive forever.

Steffan Lewis will certainly not be forgotten in the political life of Wales either. During his all too brief sojourn in this world, Steff made his mark on his country by espousing the kind of inclusive and positive politics that is now so rare in our democratic institutions, and by sharing a strong and confident vision for the future of our nation.

Rhuanedd Richards, translated by Cynog Dafis

FFRIND HYNOD O DRIW

CEFAIS YR ANRHYDEDD o fod yn was priodas i Steffan, yn Inverness ym mis Awst 2009. Siwrnai wych, hafaidd, ac achlysur hapus i bawb oedd yno, gan gynnwys y tylwyth a'r ffrindiau a ddaeth o Gymru, yn ogystal â theulu Shona o'r Alban. I osgoi peth o'r nerfusrwydd nodweddiadol a deimlwyd hefyd ganddom ni'n dau, bachwyd ar y cyfle i deithio i faes y gad yn Culloden a thref Nairn yn y dyddiau'n arwain at y ddefod. Ar y diwrnod mawr ei hun mae'n rhaid cyfaddef taw ei araith ef oedd yr orau.

Yn y Deml Heddwch ym Mharc Cathays, Caerdydd, y cwrddais i â Steffan am y tro cyntaf pan oedd ef yn 18 mlwydd oed a newydd orffen ei arholiadau lefel A yn haf 2002. Roedd am gael blwyddyn sabothol o'i astudiaethau, ac wedi cael swydd fel derbynnydd/porthor yn yr adeilad hanesyddol hwnnw yng nghanolfan ddinesig y brifddinas. Er mai'r awdurdod iechyd oedd yn ei gyflogi'n swyddogol, uniaethu gyda'n gwaith ninnau ar yr ochr 'heddwch' wnaeth ef – a finnau'n bennaeth ar Ganolfan Materion Rhyngwladol Cymru ar y pryd. Roedd ganddo ddiddordeb yn ein gweithgareddau, ac yn yr hyn yr oedd y Parchedig Aled Edwards yn ei wneud hefyd, fel deiliad swyddfa ac ymgysylltydd Cytûn gyda'r Cynulliad. Un hawddgar a dymunol oedd Steffan ac, er bod chwarter canrif o wahaniaeth mewn oedran rhyngom, rhoddodd yr argraff glir ei fod yn ddeallus am ddynol-ryw mewn ffordd nad yw'n arferol ymhlith pobl yn eu harddegau. Roedd yn gyflym i gynnig ei syniadau am sut i wella gwaith Cymdeithas y Cenhedloedd Unedig yng Nghymru, yn hapus i fod yn gwmni imi wrth inni gynnal sesiwn ar ffoaduriaid gyda Chweched Dosbarth ei gynysgol, Ysgol Gwynllyw, ac yn rhan o daith i glywed Kofi Annan (Ysgrifennydd Cyffredinol y Cenhedloedd Unedig ar y pryd) yn siarad yn Llundain.

Y peth arall wnaeth fy nharo am Steffan yn ddeunaw oed oedd ei fod yn dirnad ynysoedd Prydain a'u cymhlethdodau hanesyddol a gwleidyddol tipyn yn well na fi. Roedd hyn yn mynd yn ddyfnach na'i benderfyniad od braidd i gefnogi tîm pêl-droed Celtic – er roedd hynny'n arwydd o'i wybodaeth. Er enghraifft, er nad oedd cytundeb Gwener y Groglith a datganoli yng Nghymru yn ei dro ond yn rhyw dair blwydd oed erbyn hynny, roedd ef yn barod yn hyrwyddwr mawr o Gyngor Prydain-Iwerddon (Council of the Isles), corff y byddai byth a beunydd yn dweud bod iddo botensial i fod yn rym i drawsnewid achos Cymru a'r ynysoedd hyn yn gyffredinol. Er bod gen innau ambell i beth i ddysgu iddo fe am bynciau rhyngwladol hefyd, ffeithiau a chyd-destun yr oeddwn i'n gallu eu rhannu yn bennaf. Fe ddangosodd ef ei ddawn i ddehongli'r cwbl mewn ffordd wleidyddol ac ymarferol. Roedd yn gam hollol naturiol felly yn 2016 pan ddaeth yn llefarydd Brecsit i Blaid Cymru gyda'r cyfrifoldeb ychwanegol am y portffolio Materion Allanol, gan fod ei ddealltwriaeth o Ewrop a'r byd ehangach yn un trylwyr iawn.

Yn gyd-weithiwr hoffus yn y jobyn bob dydd, fe wnaeth hefyd fy helpu wrth ymgyrchu fel ymgeisydd Plaid Cymru ym Mynwy yn etholiad y Cynulliad 2003, gan gynnwys dod i'r cownt noson y canlyniad. Roedd digon o hwyl i'w gael rhyngom ar y stepen drws, yn enwedig gan mai cadw'r ernes oedd y wir uchelgais (y methwyd ei chyrraedd). Dangosodd ei aeddfedrwydd trwy wybod yn union beth i'w ddweud wrth bobl yn eu tai yng Nghilwern, neu ar y stryd yng nghanol tref Cas-gwent ar fore Sadwrn. Roedd wastad yn siaradwr clir ac atyniadol, yn gwybod yn sicr beth oedd ei gredoau ac o ble'r oedd e'n dod. Bu'n amlwg imi mai megis chwarae gwleidyddiaeth oeddwn i'n ei wneud, ac roedd ef yn fwy o ddifri ac yn llawer mwy galluog yn y maes. Yn naturiol fe wnes innau yn fy nhro ei helpu pan

BUDDING MP:
Steffan Lewis

A young Celt aiming for the political arena

Y gwleidydd ifanc iawn yn datgan ei uchelgais.

A very young politician in the making.

Steffan ifanc yn annerch Cynhadledd Plaid Cymru, Aberystwyth, ym 1997 yn 14 oed.

A young Steffan addressing the Plaid Cymru Conference, Aberystwyth, in 1997 at 14 years of age.

Y rhyfel costus

Steffan Lewis o Ysgol Gyfun Gwynllyw yw enillydd cystadleuaeth siarad cyhoeddus Cymdeithas y Cymod eleni. Rhyfela'n erbyn tlodi, nid bomio pobol Affganistan, ddylen ni, meddai ...

Ers diwedd yr Ail Rhyfel Byd, mae dros 250 o ryfeloedd wedi bod, ac mae 23 miliwn o bobol wedi eu lladd. Maen nhw'n dweud bod ystadegau yn gallu dangos ta beth ydych chi mo'yn iddyn nhw ddangos ond, heb os, yr un peth mae'r *ffaith* yma'n ei dangos yw bod rhyfel yn anghywir a chostus. Ond er mwyn iddo ddod i ben, mae'n rhaid i wreiddiau rhyfel gael eu dileu.

Mi edrychwn ni ar ddwy esiampl o rhyfeloedd gwahanol iawn mewn cyfnodau gwahanol iawn. Yn gynta', dewch gyda fi yn ôl i'r Almaen yn 1918, ar ôl iddi golli'r Rhyfel Byd Cyntaf.

Calodd y wlad ei dinistrio, cododd diweithdra i 6 miliwn (dwywaith poblogaeth Cymru). Roedd pobol y dosbarth gweithiol yn llwgu, roedd amodau byw yn erchyll, ac yna fe gwympodd y farchnad stoc gan blymio'r wlad gyfan i ddirwasgiad creulon.

Roedd newyn, diffyg bwyd, diffyg arian. Roedd y bobol mewn sefyllfa **eithafol** o dlawd. Ydych chi'n synnu felly, bod y bobol wedi troi at yr **eithafwr**, Adolf Hitler? Roedd Hitler yn addo bwyd, gwaith a gobaith. O ganlyniad i'w ethol ef y dechreuodd yr Ail Ryfel Byd ym 1939.

Dewch gyda fi nawr i'r byd modern, i Rwanda. Ers 1990, mae Rwanda wedi dioddo' rhyfel cartre' trychinebus. Mae'n un o wledydd tlota'r byd, gyda newyn, afiechydon a ffoaduriaid.

Mae ganddi ddyled enfawr i'w thalu i Fanc y Byd ac ar yr un pryd, mae'r Unol Daleithiau a Phrydain yn

gwerthu arfau rhyfel i'w llywodraeth. Mae'r bobol wedi troi at ddulliau eithafol. Does ganddyn nhw ddim llais, a does ganddyn nhw ddim ffydd yn y system.

Tlodi yw un o'r ffactorau sy'n gyffredin rhwng y ddwy enghraifft. Pan fydd person mewn cyflwr economegol eithafol o wael, yna mae'n debyg y bydd y person yn troi at ddulliau **eithafol**.

Yn aml, fe fydd rhyfeloedd yn cynnwys elfen o eidioleg crefyddol neu gwleidyddol, ond rwy'n dweud wrthych, mae'n rhaid bod sefyllfa gymdeithasol ac economegol person mewn cyflwr trychinebus, os ydyw'n

barod i glymu bom o'i gwmpas a chwythu ei hun i fyny. A dyna pam rwy'n mynnu bod rhaid mynd at wreiddiau rhyfel i'w ddatrys.

Ond, sut allwn ni eu datrys? Mae'n ddigon hawdd i fi restru'r problemau yma, ond beth allwn ni ei wneud yn ymarferol? Wel, rwy'n mynd i roi cynnig arni.

Hoffwn awgrymu i'warchodwyr y byd gwareiddiedig', Tweedle Dee a Tweedle Dum - Mr Bush a Mr Blair - ychydig o bethau allen nhw eu gwneud i ddechrau.

● Beth am ddileu dyled y Trydydd Byd, Mr Bush?

● Pam fod gan wledydd fel India a Phacistan arfau niwclear, Mr Blair?

● A choliwch, wrth i filwyr America a Phrydain frwydro yn Affganistan, mae'n ddigon posib y bydd bwledi'r Taliban gyda'r geiriau *Made in Britain* arnyn nhw.

Ond be' sy'n fy nghywilyddio i, fel aelod o'r hyn a elwir 'y Byd Gwareiddiedig', yw'r ffaith bod 75% o gyfoeth y byd yn cael ei fwynhau gan ddim ond 20% o boblogaeth y byd.

Pa bwrpas sydd yna i fomio gwlad dlawd? Bomiwch Affganistan, bomiwch Pacistan, India, Affrica a Phalesteina - ond bydd tlodi a dioddefaint yn parhau.

Yn hytrach, cynigiwch gymorth, rhowch gyflenwad parhaol o fwyd a moddion, codwch sancsiynau. Ffrwyth **tlodi** yw terfysgaeth.

Mae pobol sydd yn fodlon aberthu eu bywydau eu hun, a chymryd bywydau eraill, yn bobol sydd wedi cyrraedd pen eu tennyn. Anghofiwch grefydd, anghofiwch wleidyddiaeth.

Tlodi yw prif fygythiad democratiaeth a heddwch y byd. Rhowch hadau i berson ac mae'n dysgu sut i'w fwydo ei hun a'i deulu - rydych chi'n ennill ffrind. Bomiwch, ac rydych chi'n creu ofn, ynysyddiaeth, ac yn creu gelyn newydd.

Erthygl ysgrifennodd Steffan i gylchgrawn *Golwg* pan roedd yn ddisgybl yn Ysgol Gyfun Gwynllyw.
An article Steffan wrote for *Golwg* magazine whilst still a pupil at Ysgol Gyfun Gwynllyw.

Dear Steffan

Thank you for your support in 1997.

Dick Cole

MK CHAIRMAN

Cerdyn anfonwyd at Steffan gan Dick Cole, Cadeirydd Mebyon Kernow a chyn-ymgyrchydd dros Blaid Cymru.

A card sent to Steffan by Dick Cole, the Chair of Mebyon Kernow and a former Plaid Cymru activist.

GWENT VALLEYS, LOCAL BOY

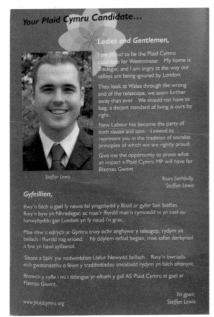

Taflen Steffan o Is-Etholiad Seneddol Blaenau Gwent 2006.

Steffan's pamphlet from the 2006 Blaenau Gwent Parliamentary By-election.

Ymgyrchu ym Mlaenau Gwent yn 2006.

Campaigning in Blaenau Gwent in 2006.

Taflen Steffan ar gyfer Etholiad Cyffredinol 2010.

Steffan's 2010 General Election leaflet.

Ymgyrchu gyda Ieuan Wyn Jones AC yn 2010.

Campaigning with Ieuan Wyn Jones AM in 2010.

Jocelyn Davies AC a Steffan gyda Rhiannon, Lewis, Zoe a Dylan Davies-Percy yn ystod ymgyrch Etholiad Cyffredinol 2010.

Jocelyn Davies AM with Steffan and Rhiannon, Lewis, Zoe and Dylan Davies-Percy during the 2010 General Election Campaign.

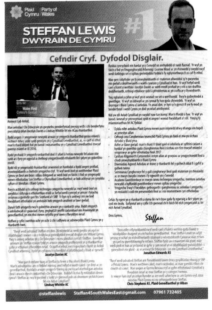

Taflen Steffan ar gyfer Etholiad Cyffredinol 2015.

Steffan's 2015 General Election leaflet.

Taflen Steffan ar gyfer Etholiad y Cynulliad 2016.

Steffan's pamphlet for the 2016 Assembly Election.

Siarad yn rali Blaenau Gwent, o flaen cofeb Aneurin Bevan.
Speaking in the Blaenau Gwent rally in front of Aneurin Bevan's memorial stone.

Steffan gyda Keith Lloyd, Malcolm Parker, Jim Criddle, Glyn Erasmus, Elaine Williams a Don Cullen.
Steffan with Keith Lloyd, Malcolm Parker, Jim Criddle, Glyn Erasmus, Elaine Williams and Don Cullen.

Gyda Glyn Erasmus a Nerys Evans yng Nghynhadledd Plaid Cymru yn Aberystwyth, 2014.
With Glyn Erasmus and Nerys Evans at the Plaid Cymru Conference in Aberystwyth, 2014.

Ymgyrchu yn Llandeilo yn 2015 gyda'i gydweithiwr, Carl Harris.

Campaigning in Llandeilo in 2015 with his colleague, Carl Harris.

Steffan yn Nhŷ Gwynfor gyda'i gydweithwyr a'i gyfeillion, Geraint Day a Math Wiliam.

Steffan in Tŷ Gwynfor with his colleagues and friends, Geraint Day and Math Wiliam.

Steffan yn stiwdio ITV, Salford i gynghori Leanne Wood AC cyn y ddadl deledu gyntaf rhwng yr Arweinwyr yn ymgyrch Etholiad Cyffredinol 2015 gyda Rhuanedd Richards, Prif Weithredwr Plaid Cymru a Rhun ap Iorwerth, AC Ynys Môn.

Steffan in the ITV studios, Salford to advise Leanne Wood AM ahead of the first televised Leaders' debates of the 2015 General Election campaign with Rhuanedd Richards, Plaid Cymru's Chief Executive and Ynys Môn AM, Rhun ap Iorwerth.

'Y tîm' cyn dadl deledu gyntaf Leanne Wood ar ITV: Rhun ap Iorwerth AC, Steffan, Rhuanedd Richards, Leanne Wood AC a Helen Bradley.

'The team' before Leanne Wood's first televised debate on ITV: Rhun ap Iorwerth AM, Steffan, Rhuanedd Richards, Leanne Wood AM and Helen Bradley.

Yn paratoi gyda Leanne Wood AC, Gwen Eluned a Helen Bradley ar gyfer dadl deledu y BBC, 2015.

Preparing with Leanne Wood AM, Gwen Eluned and Helen Bradley ahead of the BBC debate, 2015.

Llun: Tracey Paddison

Yr ymgynghorydd arbennig gyda'i arweinydd.

The special adviser with his leader.

Llun: Tracey Paddison

Diwrnod cyntaf yn y swydd fel Aelod Cynulliad newydd – Steffan gyda Llŷr Gruffydd AC, Rhun ap Iorwerth AC ac Adam Price AC.

First day in work as a new Assembly Member – Steffan with Llŷr Gruffydd AM, Rhun ap Iorwerth AM and Adam Price AM.

Yr aelod newydd gyda'r arweinydd, Leanne Wood AC, Gwen Eluned a Helen Bradley.

The new member with the leader, Leanne Wood AM, Gwen Eluned and Helen Bradley.

Steffan yn tyngu llw fel Aelod Cynulliad yng nghwmni ei chwaer, Nia, ei wraig, Shona, ei fab, Celyn, ei fam, Gail, a'i lysdad, Neil.

Steffan taking his oath as an Assembly Member in the company of his sister, Nia, his wife, Shona, his son, Celyn, his mother, Gail, and stepdad, Neil.

Steff, Mike Davies, Jeff Knock a Keith Lloyd.

Steff, Mike Davies, Jeff Knock and Keith Lloyd.

Yn Whitehall, Llundain, gyda'r Arglwydd Dafydd Wigley a Jonathan Edwards AS.

In Whitehall, London, with Lord Dafydd Wigley and Jonathan Edwards MP.

Yn Senedd Ewrop gyda Jill Evans ASE.

In the European Parliament with Jill Evans MEP.

Yn ymgyrchu'n lleol gyda Keith Lloyd, David Hale, Andrew Farina-Childs, Carol Erasmus, Helen Parfitt a Mike Davies.

Campaigning locally with Keith Lloyd, David Hale, Andrew Farina-Childs, Carol Erasmus, Helen Parfitt and Mike Davies.

Yn barod i ateb cwestiynau ar y strydoedd ym mhentre Croespenmaen yn Ward Crymlyn, 2016.

Ready for street surgery at Croespenmaen village in the Crumlin Ward, 2016.

Gyda Rhys Mills yn ystod ymgyrch etholiad Blaenau Gwent 2016.

Blaenau Gwent 2016 election campaign with Rhys Mills.

Steffan yn ymgyrchu yn Etholiad y Cynulliad yn 2016.

Steffan campaigning in the Assembly Elections in 2016.

Steffan gyda Mike Davies, Rhys Mills ac Angharad Lewis ar y diwrnod, yn 2017, pan rannodd y newyddion am ei salwch gyda nhw.

Steffan with Mike Davies, Rhys Mills and Angharad Lewis on the day, in 2017, when he shared the news of his illness with them.

Siarad yn angerddol yn y Senedd.
Speaking with passion in the Senedd.

Steffan yn siarad yn ystod cyfarfod pwyllgor yn y Cynulliad.
Steffan speaking at the Assembly Commitee meeting.

Areithio yng Nghynhadledd Plaid Cymru.

Delivering his speech at the Plaid Cymru Conference.

ddaeth yn amser iddo ymgeisio dros Blaid Cymru yn etholaeth Blaenau Gwent yn 2006 ac Islwyn yn 2010.

Cyn iddo sefydlu ei hun yn gyntaf fel ymchwilydd a gweinyddwr ar ran y Blaid ac yna'n wleidydd etholedig i Blaid Cymru gwnaeth nifer o bethau eraill: gweithio mewn tafarn ac mewn canolfan alwadau, teithio yn yr Unol Daleithiau a chychwyn fel myfyriwr mewn dwy Brifysgol wahanol cyn iddo lwyddo i gwblhau gradd ym Mhrifysgol De Cymru ar y trydydd tro, fel petai. Parhaodd yn ffrind annwyl a ffyddlon trwy'r holl gyfnod hyn yn profi gwahanol bethau mewn bywyd.

Roeddem yn rhannu'r un synnwyr digrifwch, a digonedd o chwerthin naturiol i'w gael pan oeddem gyda'n gilydd, pryd hynny ac am flynyddoedd i ddod. Pan aeth trefniadau ei barti stag yn ffradach wrth i'r cwch ar Fôr Hafren fethu â glanio yn y porthladd, wrth ymchwilio ein hachau teuluol yn archif Sir Gaerfyrddin, yn ystod y cynlluniau amwys am ble i aros y noson cyn ei briodas, neu wrth ymwneud â chefnogwyr timau a gwledydd eraill – roedd wastad sbri a hwyl i'w gael yn ei gwmni.

Roedd ei gariad at dîm cenedlaethol pêl-droed Cymru'n amlwg, a thrwy ei aelodaeth o Gymdeithas Pêl-droed Cymru cefais gyfleoedd i wylio'r tîm yn chwarae yng Nghaerdydd gydag ef. Y tro diwethaf y gwnaethom dreulio amser hir a hapus yng nghwmni ein gilydd oedd Mehefin 2016, mis wedi iddo gymryd ei sedd fel Aelod Cynulliad. Roedd hyn ar y daith anhygoel i gefnogi tîm y genedl yn Bordeaux, yn eu gêm gyntaf yn Ewro 2016, a'r fuddugoliaeth 2–1 yn erbyn Slofacia. Fe oedd yn gyfrifol am sicrhau tocynnau a gwesty inni, a finnau am y trefniadau teithio ac am fod yn gyfieithydd ar y pryd yn ystod ein hamser yn Ffrainc. Gwnaeth sôn am ei frwdfrydedd i ddysgu iaith estron, megis Ffrangeg, yn ystod y daith.

Ond ni ddaeth y cyfle iddo wireddu'r dyhead hwnnw, oherwydd ymhen 18 mis torrodd ef y newyddion am ei salwch difrifol imi. Un o'i hoff ganeuon oedd 'No Surprises' gan Radiohead, sy'n cynnwys y llinell 'No alarms and no surprises, please'. Y trueni yw y daeth y newydd mawr, annisgwyl a dieflig hwnnw am ei afiechyd gan newid y cwbl ym mlwyddyn olaf ei fywyd. Fe gymerwyd ffrind teyrngar oddi wrthyf cyn iddo gael siawns i weld Cymru mewn twrnamaint chwaraeon rhyngwladol arall, a chyn iddo gyflawni'r hyn oll oedd yn bosibl iddo fel tad a gŵr a mab a brawd. Collais gyfaill hynod o driw yn y broses.

Stephen Thomas
Hydref 2019

GWARCHODWR Y DRWS

YN FUAN WEDI i mi gael fy mhenodi yn Swyddog Cyswllt yr Eglwysi ar gyfer y Cynulliad Cenedlaethol ym 1999, cefais fy lleoli yn un o swyddfeydd braf y Deml Heddwch ym Mharc Cathays, Caerdydd. Roedd fy swyddfa yn union gyferbyn ag adeilad yr hen Swyddfa Gymreig. Fel plentyn fy nghenhedlaeth wleidyddol, roeddwn wedi hen arfer meddwl bod drysau'r lle arbennig hwnnw wedi eu cau i mi a'm tebyg. Ar y pryd, heblaw am ymgyrchu gyda chyfeillion 'Ie dros Gymru' am ychydig fisoedd cyn refferendwm 1997, prin iawn oedd fy mhrofiad o ymwneud yn uniongyrchol â gwleidyddiaeth. Yn y Deml Heddwch gwnes i gyfarfod â Steffan Lewis. Ar y pryd, Steffan oedd gwarchodwr y drws. Ef fyddai yn ein cyfarch wrth i ni droedio i mewn ac allan o'r adeilad.

Bu blynyddoedd cynnar datganoli yn rhai prysur i mi yn fy rôl newydd. Roedden nhw'n ddyddiau braf ond hefyd yn rhai heriol weithiau. Cafwyd ymgyrchu cynnar ynghylch gosod ceiswyr lloches yng Ngharchar Caerdydd. I mi, fe fyddai'r diddordeb hwnnw yn parhau dros ddau ddegawd. O'r swyddfa honno yn y Deml Heddwch, mewn cydweithrediad â swyddogion Jane Hutt, sefydlwyd cynllun arbennig Cymreig i hyfforddi ffoaduriaid a oedd yn feddygon. Erbyn hyn, ar ôl hyfforddi ymhell dros gant o feddygon, ystyrir y cynllun Cymreig yn un o'r goreuon yn y byd. Yn ystod y cyfnod cynnar hwnnw fe'n gorfodwyd hefyd i ymateb i erchyllterau Clwy'r Traed a'r Genau. Roedd yn brofiad erchyll. Ar ben hyn fe gafwyd ymosodiad ofnadwy 9:11 yn Efrog Newydd. O'r swyddfa honno yn y Deml Heddwch cafodd hadau cynnar yr hyn a adnabyddir heddiw fel Fforwm Rhyngffydd Cymru eu plannu. Erbyn hyn, daw arbenigwyr o gymunedau ffydd y byd i weld sut y daeth cymunedau cred Cymru at ei gilydd o dan arweiniad cychwynnol Rhodri Morgan.

Yn ddi-ffael, wrth droedio i mewn ac allan o'r Deml Heddwch, byddai Steffan yn fy holi. Efallai i mi fod yn dipyn o gymorth iddo yn ei ddatblygiad gwleidyddol yn ystod ein sgyrsiau aml a hir. Yn wleidyddol, roedden ni fel tad a mab yn ystod y cyfnod cynnar hwnnw. Hyd heddiw, fedra i ddim dweud pa un ohonon ni oedd y tad a pha un oedd y mab. Cafodd ei ymrwymiad cadarn i genedlaetholdeb Cymreig ddylanwad aruthrol arna i.

Er yn ŵr ifanc iawn bryd hynny, roedd Steffan yn llyncu'r cyfan yr oedd gen i i'w ddweud am fy atgofion o dristwch boddi'r pentref yn Nhryweryn. Fel plentyn a gafodd ei fagu yn Nhrawsfynydd, gallaf gofio'r ymgyrchu a synau'r bomio a gafwyd. Gallaf gofio'r bomio a gafwyd yng Ngellilydan yn fwyaf arbennig. Yn fuan iawn yn ein sgyrsiau, fe wnes i a Steffan ddirnad taw nid nepell o'r cyntedd a gafwyd rhwng ei ddesg o a'm swyddfa i y gosododd rhai'r bom a ffrwydrodd yng Ngorffennaf 1968 – blwyddyn cyn yr arwisgo. Wedi dweud hyn, nid bomio oedd yn dal ei sylw ond polisi. Creu oedd crefft Steffan Lewis, nid dinistrio. Erbyn hynny, oherwydd datganoli, roedd drysau cadarn y Cynulliad Cenedlaethol, a dyfodd o'r hen Swyddfa Gymreig, bellach yn cau ac yn agor i fechgyn a gafodd eu magu yn Sir Feirionnydd wledig ac yng nghymoedd diwydiannol Gwent. Bellach, roedd gan y ddau ohonon ni'r hawl a'r modd i ddylanwadu ar wleidyddiaeth ein gwlad.

Fe wnes i sylwi'n gynnar bod gan Steffan afael rhyfeddol ar gymhlethdod polisi. Hyn fyddai ei gryfder gwleidyddol pennaf. Er gwaethaf y gagendor oed a'r amrywiaeth cefndiroedd rhyngom ni'n dau, roedd Cymru yn un i mi ac i Steffan. Yr atgof prydferthaf sydd gen i o'r berthynas gynnar hon, a ddatblygodd yng nghyntedd un o adeiladau mwyaf arwyddocaol y genedl Gymreig, oedd y parch naturiol a dyfodd rhwng dau gyfaill annisgwyl. Roedd Steffan yn dryloyw o'r dechrau ynghylch ei ymrwymiad angerddol i Blaid Cymru. Roeddwn i'n ymroddedig i'r gymuned Gristnogol Gymreig. Cefnogi ein gilydd yn y dasg o greu Cymru well hawliodd ein sylw cyson a'n hymroddiad wrth sgwrsio. Gallaf gofio ein sgyrsiau yn hoelio sylw ar weithio'n amserol ac am fod yn onest mewn gwleidyddiaeth. Carwn feddwl i'n hymddiddan wneud y ddau ohonon ni ychydig yn fwy na'r hyn yr oedden ni'n arfer bod.

Maes o law, fe aethom ein ffyrdd gwahanol. Fe gafodd fy ngwaith ei leoli mewn swyddfa arall yn y ddinas ac fe aeth Steffan ymlaen i feithrin a datblygu ei yrfa wleidyddol ac i greu teulu. Braint ryfeddol i mi oedd cael rhannu bywyd teuluol Steffan mewn amseroedd o golled ac mewn cyfnodau o lawenydd mawr. Un o freintiau mwyaf fy ngweinidogaeth oedd cael derbyn gwahoddiad gan Steffan i weinyddu ei briodas â Shona yn Inverness. Dyna brofiad braf. Cynigiodd y teithio i'r Alban, cael mwynhau cwmnïaeth teulu'r Blaid ar achlysur mor arbennig, a chael dod i adnabod teulu Steffan yn well, un o brofiadau hyfrytaf fy ngweinidogaeth. Llawenydd aruthrol pellach i mi oedd gweld ei ethol yn aelod o'r Cynulliad.

Yng nghwmni clên Stephen Thomas, gynt o'r Deml Heddwch, cafwyd cyfarfod damweiniol â Steffan yn Bordeaux yn ystod dyddiau rhyfeddol ymgyrch tîm pêl-droed Cymru ym mhencampwriaeth Ewrop yn 2016. Yng ngwres y dydd, achubwyd ar y cyfle i ofyn i gymydog parod ei gymwynas i gymryd llun o'r tri ohonon ni yn mwynhau'r achlysur. Ymhen amser, gwelodd Steffan yn dda i fod yn garedig wrth y rhai ohonon ni fyddai'n llywio gwasanaeth ei angladd. Fe ddywedodd yn eglur beth oedd ei ddymuniadau. Roedd cerdd arbennig wedi dal ei sylw ond roedd yn drom ei hysbryd. Meddyliais taw gwell o lawer fyddai darllen cerdd Phil Davies 'Rhwng Bordeaux a Toulouse' a gyhoeddwyd yng nghyfrol *Merci Cymru* dan olygyddiaeth Tim Hartley. Cafwyd cipolwg braf yn y gerdd ar 'genedl rydd'. Ceir atgof o'r dyddiau godidog hynny yn Ffrainc gyda Stephen a Steffan. Mae'n llun braf i'w drysori.

'Na'i byth anghofio clywed y newyddion am waeledd Steffan. Eluned Morgan dorrodd y newyddion i mi mewn digwyddiad ar lawr y Senedd. Dwi'n cofio prysuro draw i gartref Steffan a sgwrsio gyda'i fam, Gail, ac aelodau eraill o'i deulu. Nid am y tro olaf i lawer ohonon ni, roeddem yn methu dal ein dagrau yn ôl. Fel offeiriad dwi wedi arfer ceisio cysuro teuluoedd pobl sy'n annwyl i mi yn wyneb galar a cholled. Erys rhywbeth unigryw i mi yng ngwewyr colli Steffan Lewis.

Byddai'r nosweithiau hynny gyda'i deulu yn arwain at agor drws i lawer o gariad a digwyddiadau da fel y daith gerdded ryfeddol a drefnwyd gan ei chwaer Nia a chyfeillion agos fel Rhuanedd Richards. Byddai'n agor drws hefyd at ddewrder gwleidyddol heb ei ail. O gofio ein trafodaethau cynnar yn y Deml Heddwch, eiliad eithriadol i mi oedd gweld a chlywed Steffan o'i sedd yn y Senedd, wrth drafod pwerau'r Cynulliad yn wyneb Brecsit, yn dweud yn fachog gryno sut iddo ganfod bod amser yn rhy brin i beidio â dweud yr hyn yr oedd yn ei feddwl ac i feddwl yr hyn yr oedd yn ei ddweud. Ar lawr ein Cynulliad Cenedlaethol fe aeth Steffan Lewis y funud honno drwy'r drws hwnnw sydd ar gyfer yr ychydig rai i droi o fod yn wleidydd arferol i fod yn wladweinydd.

Hyd heddiw, wrth annerch torfeydd mewn digwyddiadau gwleidyddol, byddaf yn dirnad dylanwad Steffan Lewis ar fy ysgwydd. Mewn rali Cymru Dros Ewrop ddiweddar yng Nghaerdydd fe feiddiais, yn wyneb y dirmyg a deflir at wleidyddion Cymreig weithiau, ddatgan barn onest bod gan Steffan well dealltwriaeth o oblygiadau Brecsit yn ei fys bach na chyfanrwydd cabinet Llywodraeth y Deyrnas Gyfunol gyda'i gilydd. Yn wleidyddol, dyna fesur y golled a gafwyd. Roeddwn yn gobeithio y byddai rhyw ddydd yn cyrraedd nod bod yn Brif Weinidog Cymru. Ysywaeth, ni welwn hynny. Ond, y mae wedi hawlio ei le ymysg cewri y genedl Gymreig.

Aled Edwards
Hydref 2019

The steadfast adviser

It was in the summer of 2006, on the streets of Tredegar that I first met Steffan properly. I had seen him around at party events like conference and other gatherings, but didn't know him well. Steff was a very young candidate in the 2006 Blaenau Gwent by-election, but he couldn't be called inexperienced. He had first come to our attention back in 1997, when at just fourteen years old and a pupil at Ysgol Gyfun Gwynllyw, he addressed the Plaid Cymru conference in Aberystwyth and impressed all of us there with his clarity, maturity, determination and knowledge. Nine years on and he had read more and had become even more sure that he wanted to pursue a path in Welsh national politics.

We had some good discussions whilst knocking doors in Tredegar during that glorious July. It wasn't the most fruitful canvassing I had ever done, but I remember that we laughed a lot and also had more serious conversations about politics and in particular his career. Steffan had decided that if he didn't become an MP after this election, he was going to pull out of university. He had his sights set on securing a policy job that he knew was coming up in Plaid Cymru's head office. I remember telling him that I thought it would be better to finish his degree, but he had made his decision. He didn't arrive at decisions without deep consideration and he didn't go back on them easily. This was the first, but certainly not the last time I would see this stubborn and determined aspect of Steffan.

In the six years that followed, Steff got married and had various jobs within the party at head office and working in the offices of different politicians as well as carrying out more studies. He was working with Jocelyn Davies in 2012, when Plaid Cymru held a leadership election.

In that contest, we were on different sides. I think it is fair to say that he wasn't overjoyed with the outcome. Steffan had supported and worked closely with Elin Jones, who had been expected to win. I remember having a very civilised, honest but brutal discussion with Steffan just after that election, where he told me that the economic plans in my pamphlet 'A Greenprint for the Valleys' were 'nice' but inadequate, and that our plans to build the case for an independent Wales would not win over people on 'emotion' and 'green stuff'! Our economics needed to have much more rigour and evidence to stand up to scrutiny, he had said. Although we weren't exactly in the same place on the political spectrum, he wanted to help me as a new leader to do that work.

Steffan was appointed as my political advisor and speech writer not long after that conversation. He wasn't always the easiest person to work with and over those years between 2012 and his election to the Senedd in 2016 we had many creative tensions, even, on occasion, rows. But that was usually because both of us felt so strongly about particular positions or issues. Over time, the ability to be honest about our disagreements enabled us to understand each other well. It was good for me to have someone who wasn't on the same page as me politically. He would challenge my thinking and that of the shadow cabinet or the leadership team, and he would challenge us hard. We developed our working together to the point where we would discuss, debate, argue and then whatever was in the statement, speech, position, article or press release was defensible and arguable. Steffan ensured there was rigour in everything we did.

In 2014 we had travelled to Edinburgh, Brussels, London and Steffan had worked hard on a series of political interventions, papers and speeches on the Welsh constitutional position in the run up to, and the aftermath of, the Scottish referendum. The ideas around a constitutional convention, a British confederation, as outlined in our paper 'Bringing our Government Home' as well as pushing for powers over welfare as austerity bit down are ideas that the Welsh government have put forward in various guises since.

It was during the run up to the general election in 2015 that we got to know each other well. During the long hours we spent in each other's company during that campaign, the early 'creative tension' developed into a trustful and respectful professional relationship and friendship.

There was so much to do, including the preparations for the many and various media appearances that come with a UK election, and there was the tour around Wales, to spend time with as many candidates and teams as possible. Steffan decided that he would drive me around the country so he could continue to brief me on the way. Trips to the north east and north west of this country can take four to five hours. Steffan made sure that was productive time. We would be travelling somewhere on the A470 when he would turn into the 'aggressive journalist'. He even had a different voice when he went into that mode. 'So Leanne Wood, can you tell me how exactly you would close the Welsh tax gap?', to which I would be expected to give the textbook answer. I was grilled. Over and over. Do this enough with someone of Steffan's intellect and you get to a point where no one – not even a Jeremy Paxman type – will catch you out. I never had a more difficult grilling from a real-life journalist than the practice ones I had with Steffan.

Those trips during that election also meant that there was time to talk about personal matters.

Steffan was still young but he'd had a difficult time of it. He shared with me his personal feelings and memories and various struggles and difficulties he'd been through. I shared my painful personal stories with him too. This time was special, as time always is when understanding between people deepens. It is even more so to me now.

Steffan took his work very seriously. He lived it and breathed it. So much so that on the night of the first televised leaders' debate, he made himself ill.

I had walked back to the dressing room where our small team of Steffan, Rhuanedd, Helen and Claire had been watching the two hour debate. There was a buzz of excitement, but where was Steffan? He emerged pale and wobbly-looking from the bathroom. He had spent the entire two hours in there, being physically sick with worry. Knowing the perfect answers to every question in your head, yet having no control over how those answers are given by the person you have briefed when they are under pressure, is not easy at the best of times. When the stakes were so high, Steffan more than felt it.

Everyone who knew Steffan will miss him in different ways. Rarely does a day go by when I don't wonder what Steffan's take would have been on some tricky political issue or other. I also miss the more personal chats we used to have – about family, children, gardening, travelling and life.

He had an incredible brain for politics and for history. But he was also deeply sensitive and compassionate. He would get visibly angry at any poor treatment of women or people of colour, for example. He couldn't handle bullying, racism or misogyny in any form. These were areas where there were never any disagreements between us.

Steffan was diagnosed with Stage 4 cancer on my 45th birthday. That news devastated us all. We won't get over it. Despite the biggest effort imaginable, Steffan lost his life just over a year later.

I now sit in Steffan's seat in the Siambr – the seat in which he sat for nowhere near long enough. This daily connection to him helps me to remember him, to think about him and to feel close to him.

The leather-bound notebook covering 2015 and 2016 that his wife Shona gave me a few weeks after he had passed is something I regularly flick through to remember our various trips, political interventions, speeches and elections. That is something I will treasure forever, along with my fantastic memories of this special man.

Leanne Wood AM
October 2019

Reflections on the first Assembly term
of a first-time Assembly Member

Click on Wales, August 2016

It's amazing how quickly it happens. At 4am you're in a drafty sports hall at a count, waiting to hear whether the election result has gone in your favour, then, just a few hours later, you're standing in the Senedd being sworn in.

I found myself suddenly facing the exciting prospect of spending the next five years being responsible for representing the people of the region and the perilously steep learning curve of getting to grips with the frontline of Welsh politics.

As Plaid Cymru's newly elected Assembly Member for the South East, I am also the youngest elected member in the Assembly, narrowly stealing the title from Plaid Cymru's Bethan Jenkins.

Prior to my election, I was determined that if I made it, I'd want to put community socialism at the centre of my activities. That means actively seeking local issues in the community and bringing people together to find community solutions.

At a time when faith in politicians is at a real low, I believe it is important that we take a fresh look at how we do things and rethink our politics so that it isn't simply about 'listening to people', but about cementing their active participation in our political life.

A criticism I've heard many times of the National Assembly is that it's boring. People don't follow what's happening because every time they tune in, they find the proceedings too dull to watch. They expect the spectacle of Westminster, with the shouting and jeering of Prime Minister's Questions.

I know polls tell us people don't like the yah-boo of the Commons, but deep down I suspect most actually find it entertaining at least. When a chamber is noisy and animated, politics is alive and so too is democracy.

But tuning into Senedd TV provides a different sort of spectacle. Apart from the main feature of First Minister's Question Time and the odd debate, the chamber often resembles more of an open-plan office area rather than the seat of our national democracy.

One of the first things I did after being sworn in was to ask the IT department to take my computer out of the chamber – to remove the temptation for me to use any proceeding as an opportunity to catch up on emails.

Unfortunately, I was told that this isn't possible because the 'aesthetic nature' of the chamber would be compromised. So instead, I've agreed to a halfway house where my computer monitor is permanently switched off.

This, though, has proved rather unsatisfactory as it means that I spend hours during every plenary session looking at my own reflection on the computer monitor. When you look like me that really isn't much fun.

I'm not in favour of a blanket ban on computers in the chamber. I know members who work hard and utilise the chamber's IT and that suits them. But I think we should all have the right to ask for no IT at all and I hope our new Llywydd will consider this.

The first few months of this Assembly term have, in fact, been more exciting than in the past. The EU referendum alone provided plenty of opportunity for passion from both sides of the debate. There was significant turnover after the last election meaning a large proportion of new AMs – over a third of this Assembly's members are new. Perhaps it was this fresh energy, and maybe a combativeness driven by having a new political enemy in the form of UKIP, that has created a different dynamic.

It's notable that when the Assembly provided drama – such

as with the election of the First Minister – the public viewing gallery in the Senedd ran out of tickets. People are interested, when we give them something to be interested in.

I think there is an onus on political groups to be more creative with the topics they choose for debates in the Senedd that might liven things up by providing passionate exchanges on more timely and topical issues. I also believe that we should consider changing standing orders to allow for more votes by roll call rather than by anonymous electronic voting. Perhaps when we vote on the final government budget and at the last stage of legislation, we could vote by roll call. This wouldn't just make the chamber more of a spectacle, it would add transparency too.

Another, admittedly small, factor that I think affects the spectacle of the chamber is the tone of proceedings. I don't for one minute believe we should adopt a Westminster form of 'honourable' and 'right honourable' so-and-sos, but perhaps the Assembly, in pursuit of being different from Westminster, has gone too far the other way?

I still hear some asking questions or making speeches that are not addressed through the Llywydd and there are even references to other members on first name terms. Surely there should be an air of formality at all times that reflects the seriousness of the institution and its work?

Proper consideration should also be given to the way in which questions are tabled to cabinet members. At the moment, only party leaders and spokespersons have an opportunity to ask questions without giving prior notice of the topic they wish to raise. This creates two challenges. Firstly, it means questions are tabled in advance and thus may not end up being as timely and relevant as when they were first composed.

Secondly, it means a number of questions and answers sound like going through the motions, because they are asking pre-prepared questions and are followed by pre-prepared answers before a supplementary is asked.

It might be worthwhile amending the system slightly so

that members are drawn to ask questions the week before question time is due, but can ask any question – followed by a supplementary – on the day. This would make proceedings more unpredictable and perhaps more relevant and interesting.

Engaging with the public is about more than putting on a show. We also need to think about who we reach out to when we look for new ideas and when we attempt to hold those with power to account. I would love to see Assembly committees taking innovative approaches to include a greater variety of voices in consultations and evidence gathering sessions.

I would like to see the public being able to tweet or email or send via Facebook questions as committees cross-examine expert witnesses. The chair of each committee could then ask questions to witnesses that are directly submitted from members of the public. It would be a way of hearing different perspectives, and would blow open the doors of Welsh democracy to the populace at large.

The start of a new Assembly is a chance for us to renew Welsh politics and to explore original ways to reach out to everyone beyond Cardiff Bay. I am deeply honoured to be one of just sixty people, out of a country of three million, who get to sit in our national legislature. I hope I belong to an Assembly that will constantly seek to reinvent itself in order to reinvigorate the nation and its communities.

Araith am Hanes Gwent

Eisteddfod Genedlaethol y Fenni, Awst 2016

MAE HI'N BLESER cael y cyfle i siarad yn ystod yr Eisteddfod Genedlaethol, yn enwedig un sydd yn cael ei chynnal yma yng Ngwent. Pan ges i wahoddiad i siarad ac i ddewis testun, roedd hi'n gyfle rhy dda i golli i siarad am un o'r testunau fi wrth fy modd yn sôn amdano sef fy sir i, yr hen frenhiniaeth, Gwent. Ac er ei bod hi'n bosib – ac yn wir mae wedi digwydd – i mi siarad am hanes ac am sut a pham mai Gwent yw rhanbarth blaenaf Cymru, byddwch chi'n falch iawn clywed, fi'n siŵr, fydda i ddim yn clebran yn rhy hir o gwbl.

Roeddwn i am gael cyfle i sôn am un neu ddau o lwyddiannau Gwent sydd wedi cyfrannu tuag at gyfoeth cymdeithasol, gwleidyddol a diwylliannol Cymru cyn symud ymlaen i sôn ychydig am Gwent a Chymru gyfoesol, rhai o'r sialensiau ry'n ni'n eu hwynebu ac hefyd ambell gyfle sydd gyda ni hefyd.

Hoffwn i ddweud o'r cychwyn cyntaf, mod i wedi cael fy ysbrydoli i sôn am y testun yma nid yn unig oherwydd fy malchder o fod yn fab o Went ond oherwydd llyfryn bach gafodd ei gyhoeddi 'nôl ym 1958 gan Blaid Cymru. Dyma fe – llyfryn o'r enw *The Welsh Tradition of Gwent*. Copi yw e o ddarlith gafodd ei thraddodi gan Griffith John Williams yn ystod Eisteddfod Genedlaethol 1958 yng Nglyn Ebwy. Mae hi'n ddarlith arbennig ac rwy'n hynod falch y cafodd hi ei chyhoeddi fel llyfryn 'nôl yn y dyddie pan roedd addysg wleidyddol yn bwysig i Blaid Cymru.

Rwy'n cofio cael golwg ar y bamffled am y tro cyntaf yn fy arddegau tra'n aelod o'r Blaid yn Nhredegar ac rwy'n hynod ddiolchgar i un o aelodau blaengar y Blaid yna – Glanmor Bowen-Knight – am ei fenthyg i mi o leia ddwsin o weithiau dros y blynyddoedd. Rwy'n cofio'r tro cyntaf i mi ddarllen y llyfryn yma i fi deimlo cymysgedd o emosiynau. Yn gyntaf cyffro, bod Plaid Cymru wedi cyhoeddi llyfryn am fy sir i, ac hefyd ychydig o benbleth bod rhywun wedi'i theimlo hi'n briodol i roi darlith am draddodiad Cymreig Gwent.

I fi ar y pryd fi'n cofio meddwl, wel, bydde neb yn meddwl am gyhoeddi 'The English Tradition of Kent'. Mae Seisnigrwydd y sir honno yn cael ei gymryd yn ganiataol ac felly yn fy arddegau dwi'n cofio cwestiynu pam fod angen i Went gyfiawnhau ei hun fel rhan annatod o Gymru. Wrth gwrs, daeth y rhesymau yn amlwg iawn yn gloi iawn i fi. Dechreuais i ffeindio mapiau o ychydig ddegawdau yn ôl gyda'r teitl 'Wales and Monmouthshire', hen enw ar ffederasiwn y glowyr oedd 'The Mineworkers Federation of South Wales and Monmouthshire' ac rwy'n cofio fy hen ffrind Glyn Erasmus yn sôn am y dyddie lle roedd plant yr ysgol yn dysgu'r anthem genedlaethol yn Saesneg tra roedd eu ffrindiau nhw ym Mrynmawr – oedd yn Sir Frycheiniog ar y pryd – yn dysgu'r anthem yn Gymraeg.

Wrth gwrs, wrth wraidd statws a chwestiynu Gwent fel ardal Gymreig mae 'na ddwy ffactor. Yn gyntaf, wrth gwrs, camddealltwriaeth dros ganrifoedd am statws cyfreithiol yr hen Sir Fynwy wedi Deddf Cymru ym 1536. Cyn i fi fynd ymlaen hoffwn i danlinellu'r ffaith mod i byth yn sôn am Ddeddf Uno. Doedd yna erioed ddeddf uno rhwng Cymru a Lloegr, deddf ymgorffori neu amlyncu oedd hi, nid deddf uno dwy wlad. Yn wir, teitl byr y ddeddf oedd 'Laws in Wales Act' a'r teitl hir oedd 'An Act for Laws and Justice to be ministered in Wales in like form as it is in this realm'.

Yn fy marn i roedd ailenwi answyddogol y ddeddf honno gan haneswyr o Gymru yn y bedwaredd ganrif ar bymtheg wedi arwain, yn gyntaf, at gamddeall y ddeddf ei hun ond hefyd colli naws a natur perthynas Cymru gyda Lloegr ar y pryd ac hyd yn oed i'r diwrnod yma. Yn wir, byddwn i yn mynd mor bell â dweud bod teitl y ddeddf ym 1536 yn ogystal â'i chynnwys yn rhoi syniad o pam bod gwleidyddion unoliaethol o Gymru yn erbyn pethau eithaf annadleuol fel datganoli'r heddlu a chyfiawnder. Ond darlith arall yw honno!

Mae teitl y ddeddf yng nghyd-destun Gwent yn bwysig iawn achos un o'r rhesymau pam fod rhai – hyd yn oed ddyddie 'ma – yn mynnu bod Gwent wedi bod yn rhan o Loegr yw achos y gred bod Deddf 1536 wedi rhoi Mynwy yn Lloegr. Y gwir wrth gwrs yw nad Mynwy roddwyd yn rhan o Loegr gan y ddeddf honno – ond Cymru gyfan! Deddf amlyncu nid deddf uno.

Mae deddfau uno fel arfer, ac yn enwedig yn yr ynysoedd yma, yn tueddu i gydnabod cenedligrwydd tiriogaeth hyd yn oed, wrth gwrs, tra'n creu undeb gwleidyddol newydd.

Doedd dim gwrthgyferbyniad yn Neddf Uno yr Alban a Lloegr ym 1707 oedd wedi creu'r wladwriaeth Brydeinig ond ar yr un pryd yn cadw annibyniaeth i system gyfreithiol Albanaidd. Mae deddfau uno yn cydnabod ac i raddau yn addasu er mwyn cymhwyso cenedligrwydd. Nid hynny oedd Deddf 1536. Llyncwyd Cymru gyfan i fewn i Loegr, nid Mynwy yn unig.

Beth wnaeth hyn i Gwent yn arbennig oedd creu sefyllfa lle ein bod ni'n agosach at Lundain nag unrhyw sir arall ac felly yn aml yn cael ein rhoi mewn i grwpiau gweinyddol gyda siroedd yn Lloegr er lles cyfleuster mwy na dim. Yn wir, mae'r dryswch ynglŷn â statws Gwent yn fwy cysylltiedig â bregusrwydd Cymru fel cenedl nag unrhyw ffactor arall. Nid Gwent yn unig sydd wedi gorfod cyfiawnhau neu gadarnhau ei Chymreictod, mae wedi bod angen i Gymru gyfan wneud hynny yn ddiflino ers ymadawiad Magnus Maximus. Efallai bod unrhyw wahaniaeth rhwng Gwent a gweddill Cymru yn esgus i rai o'r ardaloedd yma i geisio perthyn i rywbeth llai bregus, mwy llwyddiannus a chryfach na chenedl fach sy'n treulio cymaint o'i bodolaeth yn ceisio goroesi yn hytrach na ffynnu.

Yn wir, efallai mai un esiampl eitha diweddar o hyn oedd agwedd cyngor yr hen Sir Fynwy, 'nôl yn y pedwardegau, at y syniad o gael prifddinas swyddogol i Gymru. Ar y pryd, roedd 'na ymgyrch i benodi un ddinas neu dref fel prifddinas y genedl ac fe ysgrifennodd yr ymgyrch at bob cyngor yng Nghymru i ofyn am eu cefnogaeth ar gyfer prifddinas i Gymru. Ymateb Cyngor Sir Fynwy oedd bod gan Gymru brifddinas yn barod a Llundain oedd honno ac roedd y cynghorwyr yn digon bodlon â hynny.

Ond beth bynnag am hynny, rwy'n siŵr gall pob un ohonom ni sydd yn yr ystafell hon gytuno mai rhan o Gymru oedd Gwent, yw Gwent a fydd Gwent am byth. Roedd darlith Griffith John Williams yn ystod Eisteddfod Genedlaethol Glyn Ebwy 1958 yn un bwerus iawn ac yn fy nghyfraniad i heddiw, bydda i'n ailadrodd yr hyn oedd ganddo fe i ddweud, yn enwedig am ymroddiad hanesyddol Gwent.

Rwy'n gwneud hynny achos ei bod hi'n werth gwneud, ac yn wir, mae hi'n siom barhaol nad ydym ni yng Nghymru yn cael ein haddysgu yn ein hysgolion ni'n hunain am ein hanes cenedlaethol, nac yn wir ein hanes rhanbarthol. Mae llawer sydd gan Williams i'w ddweud yn bethau y dylwn i fod wedi eu dysgu yn yr ysgol yn hytrach na'u darganfod ar hap yn fy arddegau. Fel Williams, mae'n bwysig, fi'n credu, i ni ddiffinio Gwent.

Mi oedd 'na, am ganrifoedd, frenhiniaeth o'r enw Gwent oedd yn rhan o dir o fewn yr afonydd Wysg a Gwy, a Mynwy a'r môr, gyda fforest fawr yn rhannu de a gogledd y deyrnas: Gwent Is-coed a Gwent Uwch-coed. Dyna oedd yr hen Went a oedd yn rhyfela'n aml gyda theyrnas Morgannwg i'r gorllewin ac yn wir oherwydd y rhyfela yna roedd y ffin orllewinol ac yn wir statws annibynnol Gwent yn newid yn rheolaidd. Gyda Deddf 1536, ffurfiwyd sir newydd, gyda rhan helaeth o'i thir yn dod o'r hen deyrnas, gydag ychwanegiad cantref Gwynllŵg – y diriogaeth rhwng yr afon Rhymni a'r afon Wysg. Ac er i Sir Fynwy fod yn enw swyddogol, enw'r Cymry am y sir oedd Gwent er na chafodd yr enw ei fabwysiadu tan yr ad-drefniad llywodraeth leol ym 1974.

Ac mae enwau yn bwysig wrth gwrs. Mae'n arwyddocaol fod yna, yn swyddogol, Sir Fynwy heddiw. Daeth hynny i fodolaeth gydag ad-drefniant llywodraeth leol gan John Redwood ym 1996. Mae'r Sir Fynwy bresennol yn dod o dir hen fwrdeistref Trefynwy, ond mi lobïwyd John Redwood gan nifer o gynghorwyr Torïaidd lleol i atgyfodi'r hen enw haerllug 'Sir Fynwy', am resymau nostaljig oherwydd roedd wastad gas gyda nhw'r enw Cymraeg 'Gwent' ac, i ddweud y gwir, am eu bod yn dymuno cymhlethu statws Mynwy fel sir Gymreig. Gwarth o beth, ac rwy'n edrych ymlaen i weld map o Gymru rhyw ddydd heb y term Sir Fynwy arno o gwbl.

Gwent i fi yw'r un sydd yn cychwyn wrth y ffin ac yn mynd yr holl ffordd i afon Rhymni yn y gorllewin, y môr i'r de a Brycheiniog i'r gogledd. Dyna oedd Gwent Griffith John Williams hefyd gyda llaw. Dechreuodd Williams ei ddarlith yng Nglyn Ebwy gyda hanes y Gymraeg yng Ngwent, a fi am rannu hwnna gyda chi. Mae hi'n syndod bod Gwent, yn y seici Cymreig, yn cael ei gweld fel ardal sydd wastad wedi bod yn llai Cymraeg na gweddill Cymru, ond y gwrthwyneb sydd yn wir.

Fel gweddill Cymru, mae stori'r iaith yn aml yn cael ei phlethu gyda'r stori grefyddol ac mae Williams yn adrodd stori yr eglwys gyntaf gafodd ei hagor yng Nghymru gan yr Annibynwyr ym 1639 – yn Llanfaches, pentref rhwng Casnewydd a Chas-gwent. Cynhaliwyd y ddadl gyhoeddus leol o blaid ac yn erbyn yr Annibynwyr yn Gymraeg, nid yn Saesneg, ac un oedd yn amlwg ymhlith y rhai yn erbyn doctrin yr Annibynwyr oedd John Jones o Lanbedr, ger Langstone heddiw, oedd ddim yn medru'r Saesneg. Yn yr un cyfnod, cyfieithodd John Edwards o Gilycoed, ficer lleol, lyfrau diwinyddol o'r Saesneg i'r Gymraeg er mwyn nid yn unig i bobl leol eu deall ond hefyd y teuluoedd bonheddig lleol.

John Edwards – neu Siôn Tredynnog fel cafodd ei alw – oedd y dyn a gychwynnodd ymosodiad ar ei gyd-Gymry cyfoesol yr oeddynt yn ei dyb ef yn troi eu cefnau ar iaith a thraddodiadau Cymreig, a rhybuddiodd ef fod Bro Gwent – yr ardal ar yr arfordir – yn cael ei Seisnigo. Yn wir gellid dweud ei fod wedi cyhoeddi fersiwn cynnar o ddarlith radio Saunders Lewis am

Dynged yr Iaith, cymaint oedd ei bwysigrwydd i'r Gymraeg yn yr ardal.

Efallai mai un o'r pethau mwyaf pwysig yn narlith Williams, yn bendant i fi beth bynnag fel mab Gwent – oedd y datganiad gan Iolo Morgannwg ym 1800. Dwedodd Iolo Morgannwg ar y pryd fod Sir Fynwy yn sir oedd bron yn uniaith Gymraeg, oedd yn cynnwys canran uwch o fonoglots nag unrhyw sir arall yng Nghymru. Datganiad syfrdanol. Yn y cyfnod yma gwnaeth Iolo Morgannwg astudiaeth o'r hen dafodiaith, Gwenhwyseg, oedd yn fyw ar y pryd rhwng Llaneirwg a Thredelerch. Casglodd eiriau ac ymadroddion Cymraeg oedd yn unigryw i Went.

Yn wir, mae tystiolaeth gan yr eglwysi a chapeli yn dueddol o gefnogi, o leia yn rhannol, datganiad Iolo Morgannwg. Ym 1867, roedd pentref Llangatwg Feibion Afel, pum milltir o'r ffin, yn bentref â'r mwyafrif yn ddi-Saesneg. Ond tua'r amser yma, dechreuodd tirwedd ieithyddol Gwent newid am byth.

Yn ei lyfr *Wales and her language*, gan awdur o Gasnewydd, John E Southall, a gyhoeddwyd ym 1892, rhannodd y sir i dri rhanbarth. Yn y rhanbarth dwyreiniol, dywedir fod braidd dim Cymraeg cynhenid yn cael ei siarad na'i ddeall. Ond yng nghanolbarth Gwent oedd yn cynnwys llefydd fel Y Fenni, Brynbuga, Pont-y-pŵl, Aber-carn, Blaenafon, Abertyleri a'r ardal rhwng Casnewydd a Chas-gwent, roedd yr iaith yn cael ei siarad neu ei deall gan ychydig llai na chwe deg y cant o'r boblogaeth.

Yn y rhanbarth gorllewinol, oedd yn cynnwys Glyn Ebwy, Tredegar, Rhymni, Bedwellte, Machen a Phengam, roedd dros chwe deg y cant o bobl yn siarad neu'n deall Cymraeg. Yn wir, ym 1900, fel mae Williams yn adrodd, roedd rhaid i'r ficer ym Maerun – Marshfield – ddysgu Cymraeg er mwyn cynnal gwasanaethau yn ei eglwys! Felly, yn ystod y cyfnod yma, roedd gorllewin Mynwy o leia mor Gymraeg â Sir Gaernarfon neu Geredigion.

Yn wir, mae'r iaith a'i llenyddiaeth wedi bod yn fwy canolog i Went, a'i datblygiad, nag i'r genedl gyfan. Ac mae Gwent wedi bod yn ganolog i'n datblygiad ieithyddol yn genedlaethol o'r cychwyn cyntaf, hyd y diwrnod yma. Ddylen ni ddim anghofio Teyrnon Twryf Lliant, Arglwydd Gwent Is-coed, cymeriad pwysig yng nghainc gyntaf y Mabinogi.

Ac fel dwedodd Williams yn ei ddarlith ef yng Nglyn Ebwy, ni ddylai pobl Gwent anghofio un o'r llyfrau mwyaf dylanwadol a gafodd ei gyhoeddi yng Ngorllewin Ewrop yn y canol oesau, llyfr o'r enw *Historia Regum Britanniae*, Hanes Brenhinoedd Prydain, gan Sieffre o Fynwy. Llydäwr a gafodd ei fagu yn Nhrefynwy oedd Sieffre, efe wnaeth droi'r cas Rhufeinig dibwys yng Nghaerllion yn ddinas fawr Rufeinig, efe wnaeth ailgreu balchder hanesyddol ym meddyliau'r Cymry.

Mae Williams yn mynnu mai'r ffordd y gwnaeth Sieffre ogoneddu Caerllion oedd un o'r esiamplau gorau o wladgarwch lleol yn y canol oesau. Yn wir, mae Williams yn mynd ymhellach byth ac yn dweud mai llyfr Sieffre wnaeth godi ein hunanhyder fel Cymry drwy roi ein hanes ni, ein tras ni, yn gyfartal â hynafiaeth Rhufain a Groeg a gwrthod y safbwynt Sacsonaidd nad oedd yr hen Gymry fawr gwell na barbariaid. Dyn o Went wnaeth hyn.

Yn ystod yr ail ganrif ar bymtheg a'r ddeunawfed, dechreuodd tirwedd ieithyddol Gwent newid, gyda'r teuluoedd bonheddig a'r ardaloedd gwledig yn Seisnigo, tra bod yr iaith yn cael ei hatgyfnerthu yn yr ardaloedd fyddai'n dod yn ddiwydiannol.

Ceir cipolwg dda ar y darlun ieithyddol yma trwy ddilyn hanes crefyddol yr ardal. Mae yna nifer o straeon difyr ac un neu ddwy ddoniol yn narlith Williams. Mae un yn ymwneud â Sais sydd yn cael ei ddisgrifio gan Williams fel Sais optimistaidd. Roedd e'n byw yng Nghasnewydd a phenderfynodd adeiladu capel yr Annibynwyr Saesneg ym Masaleg ym 1832. O fewn dwy flynedd fe roddodd y capel i'r Annibynwyr Cymreig. Yn wir, roedd nifer o weinidogion Cymraeg blaengar y cyfnod yn cael eu denu i Went er y mewnlifiad mawr oedd yn digwydd yn y Cymoedd ar y pryd. Daeth Dr Thomas Rees i Gendl (Beaufort), daeth Robert Ellis (Cynddelw) i Sirhywi, William Roberts (Nefydd) i Flaenau Gwent ac Evan Jones (Ieuan Gwynedd) i Dredegar.

Roedd mewnfudo i Went ar ddechrau'r chwyldro diwydiannol yn bwysig iawn oherwydd, yn y dechrau, roedd y mewnfudwyr o rannau eraill o Gymru, yn Gymry Cymraeg a ddaethant, yn y deunawfed ganrif, i weithio yn y gweithfeydd haearn yn Sirhywi, Cendl, Glyn Ebwy, Nantyglo a Blaenafon. Dechreuodd hyn gyfnod newydd yn hanes Gwent a hanes ieithyddol Gwent, fel mae Williams yn ei nodi.

Atgyfnerthwyd diwylliant Cymraeg Gwent gan y bobl yma o'r gogledd a'r gorllewin, i'r graddau lle roedd y mewnfudwyr o Loegr yn dysgu'r iaith a'u plant hyd yn oed yn wladgarwyr Cymreig a Chymraeg. Rhoddwyd hwb newydd i'r iaith ac i'n diwylliant gyda chymdeithasau Cymreig a Chymraeg yn ffurfio, fel Cymreigyddion y Fenni, ac roedd gan bob tref ddiwydiannol eisteddfod flynyddol. Yn wir, daeth bardd gorau erioed Cymru – yn fy marn i o leia – o bentref diwydiannol yma yng Ngwent. Y bardd Islwyn o bentref Ynys-ddu yng nghwm Sirhywi.

A chyhoeddodd William Williams, un o'r cwm yna, ei hunangofiant yn y papur lleol, *Tarian y Gweithwyr*, ac yn y gyfrol cawn fewnwelediad hynod ddiddorol i fywyd yn y cwm yn ystod y cyfnod. Mae e'n sôn am drigolion Sirhywi, Tredegar a Nantybwch oedd yn trafod a chymharu eu henglynion a'u cynghanedd ar wyneb y lofa. Yn wir, byddai'r gweithwyr yma oedd yn feirdd talentog, yn teithio, fel miloedd o feirdd eraill ar hyd a lled Gwent, i'r dref yma, Y Fenni, i gystadlu ac i gymryd rhan yn eisteddfodau enwog y dref oedd â chefnogaeth frwd 'Gwenynen Gwent', Augusta Hall, Lady Llanofer. Cymaint oedd dylanwad eisteddfodau'r Fenni y cafon nhw eu noddi gan Lady Llanofer, dywedir eu bod wedi cyfrannu tuag at alwadau am sefydliadau cenedlaethol i Gymru, megis Amgueddfa Genedlaethol, Llyfrgell Genedlaethol a Phrifysgol Genedlaethol.

Ym 1858 – can mlynedd cyn i Williams draddodi ei ddarlith yn Eisteddfod Genedlaethol Glyn Ebwy – daeth yr eisteddfod ei hun yn eisteddfod genedlaethol i Gymru gyfan. Mae Williams yn dweud ei bod hi'n bwysig i nodi bod ffrind i Lady Llanofer yn bresennol yn eisteddfod y Fenni ym 1853, John Williams.

Ficer oedd Williams o'r gogledd a chafodd eisteddfod y Fenni gymaint o ddylanwad arno fe, sicrhaodd fod yr eisteddfod ym 1858, yn Llangollen, yn Eisteddfod Genedlaethol gyntaf i Gymru. Felly dwi'n mynd i gefnogi safbwynt Griffith John Williams, mai Gwent, trwy Lady Llanofer a'i eisteddfodau yn Y Fenni, oedd yn gyfrifol am Eisteddfod Genedlaethol Cymru!

Fel Griffith John Williams, rwy'n ei gweld hi'n hollbwysig, wrth ystyried cyfraniad Gwent i'r genedl, i ymfalchïo yn hyn ac i ddathlu'n cyfraniad ieithyddol. Rai misoedd yn ôl, fe draddodais i araith i gynhadledd Plaid Cymru. Daeth rhywun lan ata i ar ôl yr araith, rhywun sydd yn yr ystafell yma fel mae'n digwydd, a fy llongyfarch i ar fy araith, ond dwedodd e, 'Cofia, Steffan, does dim dyfodol i Gymru heb yr iaith Gymraeg.' Ac wrth gwrs ma fe'n iawn. Ac yn yr un ffordd nad oes dyfodol i Gymru heb yr iaith Gymraeg, yn fy marn i does dim dyfodol i Went chwaith heb yr iaith Gymraeg.

Fe fu twf enfawr mewn addysg cyfrwng Cymraeg yng Ngwent dros y tri deg mlynedd diwethaf. Es i fy hun i Ysgol Gyfun Gwynllyw, yr ysgol gyfun cyfrwng Cymraeg gyntaf yng Ngwent a agorodd ym 1988 gyda hanner cant o ddisgyblion, a phan adawais i yn 2002 – ie, fi wir mor ifanc â 'ny! – roedd dros fil o ddisgyblion. Mae 'na ysgol yma yn y Fenni, ac hyd yn oed un yng Nghilycoed o'r enw Ysgol y Ffin. Ac o'r diwedd, mi fydd yna ysgol Gymraeg newydd yng Nghasnewydd eleni.

Ond ma llawer mwy i'w wneud, wrth gwrs, i sicrhau bod y gofyn am addysg cyfrwng Cymraeg yma yn cael ei ddiwallu. Mae un cyngor yn yr ardal wedi gwrthod rhannu arolwg o'r rhieni gyda fi, sydd yn cynnwys cwestiwn ym mha iaith yr hoffai'r rhieni i'w plant gael eu haddysgu. Dwi'n amau bod hyn achos y byddai hynny'n dangos diffyg darpariaeth a diffyg awydd gweithredu i sicrhau'r ddarpariaeth.

Ond mae 'na resymau i fod yn optimistaidd hefyd. Dwi'n cofio eistedd lawr gyda'r cawr a'r cyn-gynghorydd Allan Pritchard oedd ar y pryd yn arweinydd dros Sir Gaerffili. Roedd Allan, wrth ei fodd yn dangos graffiau i fi ar ddarn o bapur oedd yn rhan o adroddiad gan ei swyddogion ar drend ieithyddol yn ysgolion y sir. Dangosodd un graff oedd yn dangos y byddai dros bum deg y cant o blant yn sir Caerffili yn cael eu haddysg drwy gyfrwng y Gymraeg erbyn 2030. Yn yr hirdymor, byddai hynny'n golygu erbyn i fi adael y ddaear yma, gallai'r mwyafrif o bobl yn fy sir i, ychydig filltiroedd o'r ffin, fod yn siaradwyr Cymraeg.

Mae hynny'n rhywbeth i'w ddathlu.

Ond y sialens fwyaf oll fydd ailsefydlu'r iaith fel iaith gymunedol yng Ngwent. Does dim un ateb i hyn, bydd hon yn sialens enfawr, ond fel y gwnaeth Griffith John Williams ein hatgoffa, roedd y chwyldro diwydiannol yn allweddol i atgyfnerthu'r iaith Gymraeg yng Ngwent yn y bedwaredd ganrif ar bymtheg. Mi fydd angen, yn fy marn i, chwyldro diwydiannol newydd yma, ac ar hyd Cymru, er mwyn atgyfodi'r iaith fel iaith gymunedol. Heb ffyniant economaidd, does dim ffyniant ieithyddol, diwylliannol na gwleidyddol chwaith.

Gobeithio eich bod chi wedi mwynhau o leia tipyn o fy ailadrodd am ymroddiad ieithyddol Gwent. Rwy'n ymwybodol iawn bod amser yn brin ac, wrth gwrs, mae angen o leia wythnos i allu dathlu'n iawn holl lwyddiannau'r gornel fach yma o Gymru, ond hoffwn i dreulio ychydig o amser yn sôn am gyfraniad sydd ddim yn cael y gydnabyddiaeth y mae'n haeddu cyn troi at sylwadau ar gyfer y dyfodol.

Wrth gwrs, byddwn i wedi bod wrth fy modd yn sôn mwy am wrthryfel y Siartwyr yng Nghasnewydd ym 1839 ac hefyd twf y mudiad cenedlaethol yng Ngwent yn ystod yr ugeinfed ganrif, gydag ethol cynghorydd cyntaf erioed Plaid Cymru – o leia yn y de, yn ardal Six Bells ger Abertyleri. Ond fydd rhaid i'r straeon yna aros am ddiwrnod arall yn anffodus – neu efallai'n ffodus i chi!

Fe ges i fy hyfforddi fel hanesydd yn hen Brifysgol Morgannwg ac yno roeddwn i'n ffodus iawn i gael darlithwyr oedd yn arbenigo yn hanes nawdd cymdeithasol. Yn fyfyriwr ges i'r cyfle i wneud traethawd estynedig ar hanes y tlawd ym mhlwyf Bedwellte oedd ar y pryd yn cynnwys trefi fel y Coed-duon, Tredegar, Glyn Ebwy a Nantyglo, yn ystod y blynyddoedd rhwng y ddau ryfel byd.

Roedd y blynyddoedd yma yn hynod bwysig yn hanes beth fyddai rhai yn ei alw'n nawdd cymdeithasol, neu efallai'r wladwriaeth les. Ar y pryd roedd nawdd cymdeithasol yn cael ei weinyddu gan fyrddau etholedig o warchodion y tlawd, *poor law guardians* yn Saesneg.

Roeddynt yn codi eu harian trwy dreth leol ac yn rhannu arian neu fwyd neu ddillad i'r tlawd yn y plwyf, yn ogystal â rheoli'r gweithdy – y *workhouse*. Câi'r holl system ei goruchwylio gan yr Adran Iechyd yn Whitehall dros Gymru a Lloegr – roedd gan yr Albanwyr a'r Gwyddelod gyfundrefnau eu hunain, wrth gwrs.

Yn y cyfnod yma, roedd sefyllfa'r tlawd yng Ngwent yn ofnadwy. Wedi erchylltra'r rhyfel byd, gyda phroblemau difrifol yn y diwydiannau mawr, gyda streiciau, yn enwedig y streic cyffredinol yn yr ugeiniau, roedd tlodi yn yr ardal ar lefel drychinebus. Roedd gan rai byrddau gwarchodion yng Nghymru enw yn Whitehall am fod yn radical, am wthio eu pwerau i'r ffin er mwyn rhoi cymaint o les a phosib i'w tlawd. Yn wir, digwyddodd un achos llys ar droad y ganrif ddiwetha, yn erbyn bwrdd Merthyr Tudful, sy'n dal yn sylfaen i'r fframwaith cyfreithiol hyd yn oed heddiw yng nghyd-destun budd-daliadau. Yr enw arno yw 'The Merthyr Judgement'.

Cyflwynodd perchnogion y gweithfeydd glo a haearn ym Merthyr achos yn erbyn y bwrdd lleol achos eu bod yn erbyn cymorth gan y bwrdd i weithwyr a'u teuluoedd oedd ar streic.

Yn wir, roedd y perchnogion yn mynnu na ddylid gwneud taliadau na hyd yn oed rhoi bwyd na dillad i deuluoedd lle roedd y dynion yn streicio oherwydd byddai hyn yn hybu streiciau ac yn ei gwneud hi hyd yn oed yn ddelfrydol i weithwyr streicio yn hytrach na gweithio.

Penderfyniad y barnwr oedd nad oedd hawl gan y gweithwyr oedd ar streic i gael cymorth o gwbl, er ei bod yn dderbyniol i wragedd a phlant dderbyn ychydig o gymorth – llym iawn.

Mae'r ddedfryd yna'n bwysig achos dyma'r rheswm nad oes gan bobl sy'n streicio y diwrnodau yma yr hawl i unrhyw gymorth gan y wladwriaeth.

Mae'n bwysig hefyd achos torri'r ddedfryd yma oedd yn rhannol gyfrifol am pam ddaeth bwrdd gwarchodion Bedwellte'n bwysig yn hanes Cymru. Ym Medwellte, roedd twf enfawr yn y niferoedd oedd heb fwyd, heb esgidiau hyd yn oed. Gyda gwasgedd economaidd, roedd y bwrdd yn methu â chodi digon o dreth yn lleol i allu cefnogi'r tlawd. Felly, yn hytrach na thorri'r gefnogaeth a ddarperid yn ormodol, roedd bwrdd Bedwellte wedi penderfynu mynd i ddyled enfawr. Erbyn 1927, roedd gan fwrdd gwarchodion Bedwellte ddyled o dros filiwn o bunnoedd. Gan bod angen gwarantu pob cais i fenthyg arian gan Adran Iechyd Whitehall, yn gyflym iawn, daethon yn anfodlon gyda'r sefyllfa ym Medwellte.

Roedd y gwarchodion yn becso am farwolaethau oherwydd newyn. Yn wir, gwariodd y bwrdd lawer o arian ar esgidiau ar gyfer plant lleol achos roedd yn rheol nad oedd plant yn cael mynediad i'r ysgol heb wisgo esgidiau, a heb fynediad i'r ysgol roedd y plant yn colli mas ar yr unig bryd o fwyd twym y byddent yn ei dderbyn mewn diwrnod.

Roedd prynu'r esgidiau i'r plant yn annerbyniol yn llygaid San Steffan. Roedd hefyd dystiolaeth bod y bwrdd yn rhoi tocynnau bwyd i ddynion oedd ar streic, yn erbyn dedfryd Merthyr. Roedd trychineb cymdeithasol ar droed yn yr ardal wrth i lywodraeth Llundain weithredu polisïau oedd yn niweidiol i ddiwydiannau Cymru, fel pegio'r bunt i'r safon aur, ac wrth i gyflogau a swyddi gael eu colli. Yn wir, roedd y sefydliad yn troi yn erbyn y gweithwyr a'r rheini oedd fel petaent yn ei warchod, gan gynnwys y bwrdd ym Medwellte.

Ar y pryd, roedd yna ymosodiad gan y *Western Mail* yn cyhuddo'r bwrdd ym Medwellte o roi bywyd hawdd i bobl ddiog. Mewn un erthygl, dywedodd y *Western Mail* fod y bwrdd yn euog o:

a disgraceful policy of extracting tribute from one poor class of the community in order to provide a free livelihood, plus luxuries, for another class.

Sowndio fwy fel y *Daily Mail* na'r *Western Mail*!

Yn y pen draw, ym 1927, penderfynodd San Steffan ddiddymu'r bwrdd – dim ond y drydedd waith y gwnaethpwyd hyn yng Nghymru neu Loegr. Yn ei le daeth comisiwn heb ei ethol o Lundain i weinyddu dros y tlawd yn yr ardal, gyda chanlyniadau erchyll. Datganwyd fod tref y Blaenau yn 'famine area' o fewn wythnosau i'r toriadau i daliadau a bwyd i'r tlawd.

Am Nantyglo, dywedodd Neville Chamberlain:

Such conditions of destitution are without parallel in the memory of living persons.

Ac fe ddywedodd Aneurin Bevan ar y pryd:

Our people cannot stand this much longer.

Roedd hyd yn oed apêl i roi bwyd i'r rhai oedd yn dioddef o TB wedi'i wrthod gan y comisiynwyr o Lundain.

A beth am hyn oll mewn cyd-destun ehangach? Wel, yn y diwedd, oherwydd y digwyddiadau ym Medwellte, daeth deddfwriaeth newydd i gael gwared ar bob bwrdd gwarchod y tlawd ac yn eu lle trosglwyddwyd rhai o'u cyfrifoldebau i awdurdodau lleol a rhai i'r llywodraeth yn San Steffan.

Yn y pen draw, oherwydd y profiad ym Medwellte, mabwysiadwyd system les ganolog dros Brydain a osododd sylfaen ar gyfer y wladwriaeth les ar ôl yr Ail Ryfel Byd. Ond mae'n werth i ni feddwl am funud ynglŷn ag a ydi'r profiad o gael gwladwriaeth les ganolog wedi bod yn well na chael un ddatganoledig, gymunedol ddemocrataidd. Yn bendant, roedd gwladwriaeth les llywodraeth Attlee yn un radical a arweiniodd at gyfnod gwell i'r tlawd.

Ond tybed a ydym ni, trwy ganoli, wedi rhoi gormod o

rym yn nwylo'r llywodraeth yn Whitehall sydd wedi gwneud creaduriaid fel Iain Duncan Smith yn bosib?

Efallai hefyd y byddai hi wedi bod yn haws i ennill yr hawl i ddatganoli lles yng Nghymru pe bai system ddatganoledig yn bodoli yn y lle cyntaf. Ond beth bynnag am hynny, does dim amheuaeth bod ymroddiad a phrofiadau Gwent yn nhermau tlodi wedi cael dylanwad enfawr ar Gymru, a Phrydain, heddiw.

Ond beth am y dyfodol? Dyfodol Gwent a dyfodol Cymru. Wrth feddwl am y dyfodol ac wrth ddod i ddiwedd, dwi am ffocysu ychydig ar sut rydym ni fel Cymry yn meddwl am ein rhanbarthau ni. Fel arfer, mae trefniadau mewnol am reoli rhanbarthol yng Nghymru wedi'u penderfynu gan San Steffan. Gan ddechrau gyda'r ddeddf yna ym 1536, San Steffan benderfynodd ar y siroedd newydd a hyd yn oed siroedd presennol John Redwood.

Ond mae 'na hefyd ranbarthau nad sydd ddim ar unrhyw fap ond sydd yn bodoli yn ein meddyliau ni oherwydd, fel fyddai Gwynfor Evans yn ei ddweud, chwe chan mlynedd o ryfela seicolegol.

Fi'n sôn am y Walians ofnadwy yna. South Wales, North Wales, West Wales. A'r rhai sy'n byw yno yn North Walians, South Walians, West Walians. Crëwyd y Walians yna er mwyn ymrannu Cymru, i siwtio agenda rhai ac er mwyn tanseilio Cymru fel cenedl. Does 'na ddim fath beth â 'Walian', a gadewch i ni beidio fyth â defnyddio'r rhanbartholi haerllug yna.

Mae'n bodoli er mwyn i ni yn ein rhanbarthau gwahanol feddwl bod gyda ni fwy yn gyffredin gyda rhannau o Loegr nag â rhannau eraill o Gymru ac mae'n drist iawn gweld bod llywodraeth bresennol Cymru yn cario mlaen gyda'r agenda yma. Yn ystod wythnos Sioe Frenhinol Cymru, cawsom ni Ysgrifennydd Cabinet Cymru dros yr Economi yn dweud bod dyfodol Canolbarth Cymru ynghlwm â ffyniant economaidd Canolbarth Lloegr. Cyn hynny, dwedodd ei ragflaenydd fod dyfodol y gogledd ynghlwm â'r Powerhouse newydd yng Ngogledd Lloegr. A hyd yn oed yma yn y de ddwyrain mae 'na wleidyddion yn hyrwyddo rhanbarth o'r enw Severnside – rhanbarth sy'n cynnwys Caerdydd, Casnewydd a Bryste.

Wrth gwrs mae'n gwneud synnwyr perffaith i ni gydweithio gyda'n ffrindiau dros y ffin. Fi 'di bod yn Copenhagen ac rwy'n edmygu'r bartneriaeth gyda Malmo dros y ffin yn Sweden. Partneriaeth yn seiliedig ar gydraddoldeb. Ond yng Nghymru, rhaid i ni adeiladu'r genedl.

Roedd yr Athro Phil Williams yn ei ffordd unigryw wedi archwilio'r testun yma yn ei lyfr ardderchog *The Psychology of Distance*. Ynddo, dwedodd fod yn rhaid i ni fel Cymry ddod i adnabod ein gilydd unwaith eto, o Fôn i Fynwy. Yng nghyd-destun codi'r genedl y mae codi ac ymfalchïo yn ein rhanbarthau ni.

Yn nhermau Gwent, mae'n debyg y byddem ni'n rhan o ranbarth y brif ddinas – ddim yn syniad rwy yn ei erbyn, ond fel y mae wedi ei gynllunio, y mae gen i bryderon amdano.

Yn ganolog i'r rhanbarth newydd yma mae'r metro. Mae hi'n hollbwysig bod yr holl ranbarth, gan gynnwys ei isadeiledd trafnidiaeth yn cael ei gynllunio er mwyn dod â swyddi i bobl yn hytrach na, yn syml, i gludo'r bobl i'r swyddi yn y brifddinas ei hun. Gwelwn gyda phrofiad Llundain beth sydd yn digwydd pan fo cyfleoedd a chyfoeth yn gael eu sugno i un gornel fach – mae pob cymuned arall yn dioddef.

Ac oes, mae angen i ni feddwl am lywodraeth leol a rhanbarthol yng Nghymru. Gall hyn gael ei wneud mewn ffordd sydd yn parchu teimladau o berthyn i gymuned tra ar yr un pryd yn gwneud synnwyr economaidd ac yn nhermau gwasanaethau cyhoeddus. Yn yr un modd nad oes dyfodol i Gymru heb yr iaith Gymraeg, nid oes chwaith ddyfodol i'r genedl Gymreig heb ei chymunedau.

Mewn cyd-destun yn y Gorllewin lle mae cymaint yn troi yn erbyn sefydliadau gwleidyddol, economegol, lle mae hi'n amlwg bod globaleiddio yn methu – dim ond trwy osod Cymreictod law yn law gyda sosialaeth gymunedol y gallwn ni oroesi a ffynnu. Yn hyn oll, rwy'n ffyddiog y bydd fy annwyl Went yn ymroi yn enfawr.

Pan gododd Griffith John Williams i draddodi ei ddarlith yng Nglyn Ebwy yn ôl ym 1958, doedd Gwent ddim i'w gweld ar unrhyw fap. Yn yr un modd, wrth i mi sefyll o'ch blaenau heddiw, dyw sir Gwent ddim i'w gweld ar fap chwaith. Does dim angen iddi fod er mwyn i ni ymfalchïo ynddi.

Mae hi wastad yn fy nghalon os nad ar fap.

Diolch.

Conference Speech

October 2016

Prynhawn da, Gynhadledd.

It is a pleasure to be back in Llangollen.

A town that for decades has put Wales on the global stage, Llangollen epitomises our outward-looking nature, our internationalism.

It's a good place to come when we need to find a new place for our nation in the world at this august moment in our history.

Just over a century ago, the *Llangollen Advertiser* published an article with the headline 'Tariff Reform in Wales'.

During the two general elections of the following year, the issue of UK trade with the world and a split in the Liberal party on the issue of Irish Home Rule recast the political context.

The economic rise of the United States and Bismarck's Germany lead to growing support for British nationalism in trade and in politics.

In trade there were calls for a so-called Imperial Preference on imports and politically significant opposition to the empowerment of the nations of these islands.

Fast-forward to 2016 and again the political context has been recast.

Again we see a resurgence of Westminster's appetite to centralise power in its hands.

Again we see our economic wellbeing threatened by narrow ideology.

Conference, it is of great concern that matters being discussed now as real possibilities were unthinkable just a few short years ago.

112

Repatriating EU nationals from the UK.

Denying support to child refugees.

Repealing fundamental human rights.

We are living through an ugly period in our politics where the search for light, for hope, can at times seem futile.

But we all know here that this country has faced times of darkness, has overcome insurmountable odds before.

And now we have to muster that legendary Welsh national resilience to prevail once more.

It is tempting perhaps at times to think that the writing is on the wall.

That the coming period will be defined by a new populist British isolationism and a powerless, voiceless Wales.

That it is somehow game set and match.

It is not.

I myself am a descendent of migrants who fled famine to come to these shores not simply for a better life, but for their lives' sake.

And I know that Wales is always at its best when we open our homes and our hearts to those fleeing unspeakable horrors.

And I would like to take this opportunity today to remind the Labour party that it is unacceptable and shameful that they voted along with the Tories in the National Assembly for a damaging hard Brexit, citing immigration.

It may not be universally popular to say this in the current climate, but we all know who is to blame for Wales being a low-wage economy where services are under pressure, where so many rely on state support.

The blame does not lie with those who come here seeking a better life.

It lands squarely on successive London governments who take our people for granted and our country for a ride.

I know that concerns about immigration on the part of most people in Wales are held for real reasons, out of genuine concern for their jobs, homes and communities.

And those people deserve honesty from their politicians, not political expediency.

For me the whole question isn't simply about cash terms, although we know that migration has a positive impact.

But, Conference, I am genuinely concerned that if we have a hard Brexit with closed borders, when coupled with the UK's free market outlook on trade and regressive reforms in public services in England, something very precious will be put under a very real threat: our National Health Service.

We know that the increased marketization of the NHS in England will have real financial consequences for this country due to the way we're funded.

We know that the UK government has refused to back Plaid Cymru demands that public services should be protected from the negative impact of any future UK trade deals.

We know that almost a third of doctors in Wales – a country with fewer doctors per head than almost anywhere else in Europe – come from overseas.

We have a toxic cocktail that threatens the very survival of Wales's greatest social achievement, the NHS.

I know that people are demanding that their politicians say what they believe, that they are straight talking and are not afraid to speak their mind even in disagreement with popular opinion.

So as an elected representative I am duty bound to say that if faced with the choice of ensuring a free and flourishing NHS for our children and their children, or shutting down the border, then the NHS wins my vote every day of the week.

And if our public services, if our NHS matter to the Labour government, I urge them to reconsider their position on Wales's future relations with Europe.

In fact, I would urge the Labour government to actually come up with a coherent vision for our country in light of last June's referendum.

It is simply unacceptable to point to the incompetence of

the UK government while claiming that we should sit on our hands until they get their act together.

There are three fundamental points that must be addressed: firstly, the process of our withdrawal from the EU itself, secondly, Wales's relations with the EU after we leave, and, thirdly, the constitutional status of our country.

I have repeatedly requested that the First Minister address these points, and he has repeatedly failed to reveal even a partial position on any of them.

Worse than that, it seems Welsh government policy is being conducted by TV interview, changing and contradicting itself within hours.

In terms of Brexit negotiations, the First Minister has said that he wants Welsh involvement in the process of withdrawal, but has not substantiated what shape that would take other than saying he is waiting for the UK government position first.

He has not elaborated on the nature of post-Article 50 negotiations.

On our relationship with the EU post Brexit, specifically on the single market, on one day the First Minister told me that he did not favour membership of the single market.

In the Senedd the day before, he said that he did, before then saying that he preferred a free trade deal just a few minutes later.

He has taken great pleasure in highlighting the UK's lack of expertise in trade negotiations, before ruling out recruiting specific Welsh trade negotiators to represent our interests.

This is all further confused by the fact that the First Minister appears to have made free movement of people a red-line issue and is saying that Wales should have no flexibility or say on migration policy.

On the issue of Wales's constitutional future, the First Minister talks federal when he's delivering a speech overseas but when I asked him if people in Wales should decide their national future, especially if we get a bad Brexit deal from

London, he ruled out any referendum on Wales's future under any circumstances.

Just to be clear, that means that Westminster can do its worst to Wales—there will be no serious consequences as far as this country is concerned.

That is just not good enough. Labour see Wales as an addendum, not as a nation in its own right.

In contrast, Plaid Cymru has a list of demands that will give Wales a distinct voice in the negotiations.

Plaid Cymru demands a four country approach to negotiation and we will resist a Westminster one-way system.

All four governments in the UK should commence negotiations now to establish a UK position on our future relations with the EU before Article 50 is triggered.

The Welsh government should identify in advance all those policy areas that should be repatriated to Wales not gobbled up by Westminster.

Plaid Cymru demands that following the conclusion of these negotiations, and once Article 50 has been triggered, all governments in the UK should be represented at the negotiations with the EU.

Some negotiations should take place in the UK, and where there is a particular relevance for Welsh interests, they should be held here in Wales.

Plaid Cymru insists that once an agreement has been reached with the EU, its enactment should require the consent of all four parliaments in the UK and to be clear, yes, that amounts to a veto if the deal is bad for our country.

There will be no blank cheques from Plaid Cymru to Westminster.

On Wales's constitutional future, there has never been a more important time to reassert the basic and undeniable principle that it is the people of Wales, and they alone, who should determine the future of this country.

Conference, the referendum result has been interpreted

by a great many in Westminster to be a mandate for a centralised, inward-looking British state.

We do not recognise such a mandate.

There is no mandate for Wales to be subsumed into a Greater England entity.

There is no mandate to dilute devolution.

There is no mandate to depress the Welsh economy.

During the referendum campaign I was intrigued to hear politicians in London – many of whom have led a life of opposing powers for Wales – saying they wanted their country back.

Conference: I want our country back too.

I want it back from unelected noble lords who cost us a fortune, set our taxes and make laws for us without being democratically accountable.

I want it back from faceless Whitehall bureaucrats who get to decide whether or not to withhold powers from Wales.

I want it back from xenophobic Tories who have never won a mandate to rule Wales.

Plaid Cymru welcomes the opportunity to talk about taking back control.

Plaid Cymru is proposing a number of measures so we can begin taking back control over our country's future, over our economic prospects and so we can build strong public services and flourishing communities.

Essential for that outcome is a considerable effort to establish Wales on an international stage: our sights must turn towards making Wales a global success story.

In the short term, Plaid Cymru aims to transform Wales into one of the world's most recognised sub-state nations, to boost trade and investment, to create jobs and to gain influence to further our national interest and to fulfil our obligations to the world community.

It is a source of great disappointment that the Welsh government has never undertaken a serious assessment of

Wales's international recognition, a big hindrance to realising our potential.

Add to that the refusal of Labour to ensure Wales hosts major events like the Commonwealth Games or the trade equivalent of the Olympics, the World Expo or to resurrect the WDA brand, and it is little wonder others such as Scotland and Quebec take a greater share of the international limelight.

For as long as Wales is stateless we should aim to be just as recognised as those two countries.

So I reiterate today, it is time to develop a distinct foreign policy for Wales, with a dedicated minister for external affairs, with an undertaking to raise Wales's global reach, to boost trade, to create opportunities for cultural exchange for our businesses and to develop Welsh influence in international bodies.

Over the coming years, however optimistic or not you are about our prospects post-Brexit, we can all agree that there will be uncertainty and volatility at least until our departure.

Because of this Plaid Cymru calls for the creation of a Response Unit within our new External Affairs Ministry to take advantage of emerging opportunities and to mitigate unforeseen challenges.

For example, with the pound at record lows, now more than ever is the time to sell Wales to new markets as a holiday destination.

And if there is a challenge now to recruit overseas students to our institutions then we need the agility to respond accordingly.

Labour believe Wales is helpless and they have surrendered our fate to others.

But now is precisely the wrong time to wallow in the aftermath of the referendum, now we must demand the best from ourselves and each other to make the very best of our nation.

My optimism for our country's potential is not dampened.

We must resolve now to be as determined as ever.

No-one has the right to say to a nation: 'Thus far shalt thou go and no further'.

The world has changed dramatically in such a short period of time.

But there is still a place for Wales in the world.

It's up to us to decide whether or not to take our place, a nation among equals.

And to take back control of our own communities and our own country.

Diolch yn fawr.

Speech at Pontypridd
Constituency Meeting

January 2017

Noswaith dda a diolch yn fawr iawn am y gwahoddiad i fod yma heno i'ch annerch chi ac i drafod y cyd-destun newydd sydd ohoni, wedi'r refferendwm, ar ein haelodaeth o'r Undeb Ewropeaidd.

Ac wrth gwrs mae'n amserol iawn wedi cyhoeddi Papur Gwyn Cymru heddiw gan Leanne Wood a'r Prif Weinidog.

So it is very timely for me to be here today to discuss Plaid Cymru and our approach to future relations with the EU.

Before I move on to the detail of what is in the white paper and Plaid Cymru's broader approach to the matter, I just wanted to say a few brief words about the political context generally.

There is an element of toxicity to a lot of political debate at the moment, especially on social media and especially in light of the EU referendum and so on.

So I just wanted to say that I hope that all of us here this evening, no matter which way we voted in the referendum or what our political allegiances are, can agree that we'll conduct discussions, yes, robustly, but always respectfully.

I want to give a little bit of background too, to the latest developments regarding the white paper jointly published today by the Welsh Government and Plaid Cymru.

Sometime last year, it was agreed that both parties would convene a Liaison Committee on EU withdrawal to see if common ground could be found to overcome differences that had emerged in several exchanges in the Assembly chamber and also to see what Wales's position moving forward could be.

As the Plaid spokesperson on European matters in the Assembly I was appointed to that committee.

There were a number of considerations that informed my contributions to bilateral negotiations with government but foremost among them was the resolution passed by Plaid Cymru members at a special conference, convened in the aftermath of the referendum.

On this point it's important to recognise the coherence and decisiveness of Plaid Cymru that we had a well-informed position very quickly indeed.

Also, I am proud to belong to a political party whose response to such a major issue was shaped democratically by party members.

They gave us as elected representatives clear direction and principles that we've been following daily.

Plaid Cymru's approach centres on six key principles:

Firstly, that it is in Wales's interests for the UK to remain in the Single Market, for our economy, industries and for the sake of rural communities, and that Wales should not be a penny worse off.

We believe that there is no sense in advocating a position which would see tariff and non-tariff barriers placed on Welsh exports.

Remember, Wales is the only country in the UK that is a net exporter of goods.

Two thirds of our exports go to the rest of the Single Market.

The Welsh economy is supported by Single Market membership as are over 200,000 jobs.

And in terms of the fact that we're a net beneficiary of EU funding, we propose that money be replaced and that it be a matter for Wales how those monies are spent.

Secondly, the referendum result should not be interpreted as a mandate to reverse or scale back on devolution and indeed that the constitution of the UK should be radically reformed to reflect the fact that it is a multinational state not a nation-state.

That is why Plaid Cymru have insisted that any issue that may be transferred from the EU should be transferred to the nations and not to the UK government where they relate to devolved functions.

It's why we've also insisted that any attempt to roll back on powers through a new, so-called Great Repeal Bill, should be countered swiftly by legislation in the Assembly, to protect our devolved functions.

We also advocate that where cooperation makes sense between the nations of the UK, that should be done through a new UK Council of Ministers and arrangements should be agreed and not enforced by Westminster.

And we call for a convention to strengthen further our democracy.

Thirdly, that Wales should be a participant in UK-EU negotiations.

Given the fact that the UK is a multinational state, with four governments, where there was no unanimity among the constituent parts, in terms of the referendum and in terms of the very different nature of our economies, no one government should seek to impose a position on any other.

Fourthly, that Wales must seek to maximise its global profile to mitigate any misconceptions that it is turning away from the world.

I have spent a great deal of time looking at how other sub-state countries operate to maximise their profile globally, not just for the sake of trade and investment, but also in terms of influence on other important policy fields, and it is clear that to me that Wales needs to follow best practice and develop a new international policy.

Under this principle too is also the very important matter of our relationship with a close neighbour and friend, the Republic of Ireland.

The nature of the border on Ireland itself is of significant importance to Wales, given how crucial our ports at Holyhead and Pembrokeshire are to our economy and to trade.

An unfavourable outcome on the Irish border question could result in Welsh ports becoming too burdensome and other alternative routes might emerge that by-pass Wales altogether.

There's also the issue of energy production and transportation, and other shared initiatives between Wales and Ireland that in our view merit a strengthened bond between our two countries, and I would argue that should be formalised in a bilateral agreement between the two governments.

Fifthly, that the prospects for young people should not be diminished.

Here I want to pay tribute to Plaid MEP Jill Evans who over many years has contributed to the development of projects aimed to give opportunities to young people, through Erasmus+ and Europass, and we've been adamant that young people in Wales should continue to benefit from such schemes, and furthermore that there should not be barriers either to young people from other European countries who want to come here to study or spend a gap year experiencing Welsh life.

Finally, that there should be no human costs to withdrawal either in terms of rights lost by Welsh workers or consumers or indeed the rights of EU and EEA citizens who contribute so much to our communities and country.

Welsh workers should not have fewer rights in the workplace as a result of the referendum, we should not suffer diminishing environmental standards or rights as consumers.

And in terms of EU and EEA citizens, they should not be used as pawns in the negotiations, they should have the right to remain here. And any future relationship must not rob Welsh businesses or our cherished public services of the benefits of workers from elsewhere in Europe.

So in entering discussions with the government, we came from a very clear position in order to make a positive and constructive contribution and I am pleased that all of our guiding principles have been incorporated into the white paper that was launched today.

In addition to outlining what the white paper includes, I think it is also useful to be clear about what it is not.

What it is, is a proposal for our preferred future relationship with the EU.

It does not include contingencies for what we would seek if that preferred option is not agreed to by the UK government.

This is an important distinction between the Welsh white paper and the Scottish government's white paper.

In that respect, we hope that there will be no need for any contingency plan.

However, Plaid Cymru stands prepared to publish such a plan should the prospect of a so-called hard Brexit become a near certainty.

We reserve the right as a political party, following clear instruction from our party members, to pursue a contingency plan if that is deemed necessary.

But in terms of the white paper published today, I am in no doubt that Wales's voice is clearer and stronger at the UK level because Plaid Cymru has been involved in it.

Let's not forget the crucial point either, that this was the first referendum in UK – maybe European history – where the option for change was on the ballot paper but there was no comprehensive set of proposals for the detail of that change.

No white paper, no draft bill.

That means that the exact detail of change is having to be defined after a majority has voted for it.

That endeavour requires the contribution of us all, whoever we are, whatever our views.

Wales is often the forgotten or even ignored nation of the UK; today I believe that the unprecedented step of a leader of the opposition acting in this way has strengthened Wales's hand.

But I didn't want to come here today and miss the

opportunity to address two other important, albeit maybe slightly longer-term issues that we cannot afford to lose sight of given the new political context in which we find ourselves.

Firstly, is the very question of Wales's survival as a political entity in its own right.

Be in no doubt that some, including at least one party leader in the Assembly, is interpreting the referendum result as a mandate for rowing-back on devolution.

Indeed, given how Scotland and Northern Ireland voted, if that view starts to take hold, I genuinely am fearful of the prospects of Wales being gobbled into a Greater England entity, dominated by Westminster and hampered by an inadequate devolution settlement.

We must be wary of it and we must resist it.

But be in no doubt, there is a new, emboldened form of British statism that has Welsh democracy in its sights once the Brexit project is complete.

Secondly, there must now be a reinvention of Europe to reflect not just the referendum here but also the other major challenges that we've faced in this continent and indeed continue to face.

I was very interested to read in the summer a paper passed on to me by Jill Evans, that was written by a former adviser to Angela Merkel, that talked about the idea of a Continental Union that would accommodate the different relationships that occur between the nations of Europe.

I think, to maintain the characteristics that everyone wants to maintain, most notably peace in Europe, that this should be given serious consideration.

Personally, I think there's a case for a formalised triple-track Europe.

The inner track made up of those states who are most closely integrated – the Eurozone.

The middle track, those states that are in the EU but outside the euro who want deep economic and social integration but not full fiscal harmonisation.

And the third track, those states that want close trade and security and cultural cooperation but wish to be outside the fiscal and political unions.

That stable framework might help us in securing a fair, democratic and peaceful future for all the nations and peoples of this continent, irrespective of our individual national aspirations.

Diolch yn fawr.

Araith Brwsel / Brussels Speech

Ionawr / January 2017

Prynhawn da, gyfeillion. Mae'n bleser bod yma yn Senedd Ewrop, er wrth gwrs bod hyn yn digwydd dan amodau trist iawn.

Yn yr amser sydd gen i heddiw, hoffwn amlinellu blaenoriaethau Plaid Cymru yn nhermau'r berthynas newydd gyda gweddill Ewrop. Hoffwn i hefyd gyfeirio ychydig at y bygythiadau i gyfansoddiad Cymru a hefyd sôn ychydig am y dyfodol hir dymor.

Cyn hynny, un peth sydd yn cael ei ofyn i ni yn rheolaidd, gan gyfeillion tu allan i ynysoedd Prydain, yw pam ar y ddaear wnaeth Cymru – gwlad sydd wedi derbyn cymaint o gefnogaeth gwleidyddol ac ariannol gan yr Undeb Ewropeaidd – bleidleisio i adael?

Pleidleisiodd Cymru fwy neu lai yn yr un ffordd â Lloegr, yn anffodus, gan ddilyn patrwm sydd yn anodd iawn i'r rheini ohonom ni sydd am adeiladu dyfodol cenedlaethol i Gymru. Yn rhannol mae hyn oherwydd natur y wasg yng Nghymru – mae'r mwyafrif enfawr yn derbyn eu newyddion o Loegr nid Cymru, ac – fel y gwyddoch mae'n siŵr – mae'r rhan fwyaf o'r rhain wedi gwthio agenda wrth-Ewropeaidd am ddegawdau nawr.

Maen nhw wedi gwneud hyn drwy adeiladu naratif cenedlaetholgar Prydeinig. Mae cenedlgarwch Prydeinig wedi ei selio ar gred mewn 'mawredd' Prydeinig – yn debyg i alwadau Trump – 'to make America great again'. Mae'r naratif yma wedi cael ei fwydo gan y wasg ac wedi bod yn bresennol mewn rhyw ffordd neu'i gilydd, yn y cefndir, tan i'r amser ddod lle byddai amgylchiadau economaidd a gwleidyddol yn rhoi cyfle i'r cenedlaetholdeb Prydeinig yma ennill.

Gyda methiant y banciau a'r dirwasgiad a ddaeth gyda dad-ddiwydiannu'r economi ers yr wythdegau, ynghyd â sgandal treuliau aelodau seneddol yn San Steffan, daeth pethau at ei gilydd lle torrodd y system economaidd a methodd y system wleidyddol.

Ac roedd pobl yn edrych am ateb radical. A dyna lle oedd yr adain-dde boblyddol yn gallu cyffroi y naratif gwrth-Ewropeaidd, gwrth-mewnfudwyr, gwrth-elitiaeth, cenedlaetholgar Prydeinig.

Does dim atebion syml i'r her yma. Yng Nghymru, yr her i Blaid Cymru yw i ddangos i bobl bod gwleidyddiaeth yn gallu gweithio iddyn nhw unwaith eto. Ac mewn cenedl lle nad oes gwasg Gymreig fawr, yr unig ffordd i wneud hynny yw drwy fod yn weithgar ac yn effeithiol ar lefel cymunedol. I ddelifro sosialaeth gymunedol pob un diwrnod, adeiladu perthnasau, creu ymddiriedaeth ynom ni ac yna, gydag amser, bydd pobl yn rhoi eu ffydd ynom ni o ran y cwestiynau mawr hefyd.

So I've spent a little time sharing with you my interpretation of the circumstances which led to Wales and England too voting to leave the EU.

What now for our future?

The context we find ourselves in is one where we have a UK government that doesn't have a plan for EU withdrawal and future relations.

From a Welsh perspective, immediately after the referendum, we were concerned that the Welsh government lacked any coherence in terms of its response.

There was a real lack of leadership during the crucial months immediately after the referendum when Wales needed it most.

The Labour government in Wales has no majority and so Plaid Cymru as the official opposition made the decision to act in the national interest and establish joint committees with the Labour government in order to find common ground and cooperate in the national interest.

I sit on the European liaison committee with the Welsh

Government and have been engaging positively and in good faith with them.

It is my hope that a clear, positive vision for Wales and a new relationship with the rest of Europe can be presented and that it is one the UK government will have to respect.

From Plaid Cymru's point of view, we've been clear from the outset that it is the economic interests of Wales that must take priority now.

There was a vote to leave the European political union, but we believe a majority do not want an outcome that would result in further economic hardship.

So we advocate continued membership of the European single market.

We recognise that all pillars of the European project must be respected for that to happen – including the principle of free movement of people although that can and is applied in different ways across Europe.

EU migrants have made a substantial contribution to Welsh communities and to the Welsh economy and I want to take this opportunity today to reiterate Plaid Cymru's condemnation of the UK government in its refusal to guarantee the right of EU citizens to remain in the UK after EU withdrawal.

It is reprehensible to use people as pawns.

Many argue that the Leave vote was a vote for a so-called hard Brexit – even going to WTO rules.

There was one significant fundamental flaw with the referendum process.

For the first time in UK political history, and maybe even in European history, a referendum was held offering the option of the status quo or substantial change but where there were no proposals for the nature of that change.

There was no draft Brexit bill.

No draft Brexit white paper.

Just a big red bus with a big fat lie.

Compare it to the Scottish independence referendum, where again there was a referendum with significant change on offer.

That change was articulated and detailed in a comprehensive government white paper that covered every issue from bus regulations to the head of state.

So now, post-referendum, we are having to decide on the nature of change after a majority of people voted for it.

So there is no mandate for any one kind of Brexit, and Leavers do not have a monopoly of say on that either.

It will affect us all and the forty-eight percent who voted Remain have a right to shape the future too.

So single market membership is the priority of Plaid Cymru in addition to ensuring that if any changes occur to the way free movement of people is implemented, that it does not damage our economy, our universities, our R&D sector or the ability of our young people to experience the joys of European travel and study.

With EU withdrawal, there will need to be a fundamental redrawing of the UK's constitution.

The UK remains one of the most centralised multinational states on earth and with the potential for the transfer of some responsibilities from the EU to the UK, it would be unacceptable for such responsibilities that relate to matters devolved to Wales, to be grabbed by London.

Indeed, we very much cherish high standards in the environment and in rights in the workplace.

These were hard won and we will not surrender them.

The matter of the UK's constitution is of crucial importance in the context of EU withdrawal.

As I mentioned earlier, part of the reason for the referendum result was a rise in British nationalism in Wales and in England and a rejection of it in Scotland especially.

An unintended consequence of Wales voting the same way as England could be an attempt by some to enforce a Greater England entity, with a weak Welsh parliament and an emboldened Westminster.

But there is no mandate for a Greater England entity and Plaid Cymru will resist attempts to establish one.

And what of the longer term?

Wales, the island of Britain and Europe, will change and we will all need to adapt to accommodate new relations with one another, in a spirit of solidarity and respect.

I was very interested to read in the summer, suggestions by some – including an individual who used to work closely with Angela Merkel – for a Continental Union that could bring together nations and states in Europe that are not part of the political project but wish to cooperate closely, economically and in trade.

I think there is merit in such proposals.

Indeed, over time a triple-track Europe might emerge where the inside track consists of states in political, fiscal and economic union, a middle track of states in some political and in economic union and an outer track of states in economic association – essentially a formalisation of what is occurring already.

Beyond that, for Wales, it remains enshrined in the constitution of Plaid Cymru that we seek an independent Wales in Europe.

In fact it was Jill Evans who, in the early 90s, introduced to Plaid Cymru the concept of independence in Europe.

Despite losing the referendum last year, we do not give up on that vision for our nation.

Indeed, I am reminded by some – slightly older friends – that in 1979 Wales lost a referendum for our own national assembly by a huge margin.

We did not give up then and twenty years later, the first Welsh parliament in six hundred years convened.

It is my deeply held belief, that in building a movement in our communities, we can win the hearts and minds of our fellow citizens and secure that vision of Wales in Europe.

Diolch yn fawr.

Conference Opening Speech

March 2017

Bore da, gyfeillion,

Mae hi'n bleser croesawu cynhadledd wanwyn Plaid Cymru 2017.

Y tro diwetha i ni ymgynnull yn y ddinas hon oedd yn 2008 – eto ym mlwyddyn yr etholiadau lleol a'r flwyddyn lle perfformiodd y Blaid yn arbennig yn yr etholiadau lleol hynny.

It is my unbiased view that Plaid conferences in Gwent are always the best ones and I recall the success of our 2008 spring conference in galvanising our activists and which led to electoral success in counties across the county and very pleasingly indeed for me – this included Plaid Cymru regaining control of Caerphilly Council.

When we retake control of that authority and many others in May, you can expect that I'll insist that every future Plaid Cymru spring conference should be held in this wonderful corner of our country.

For Plaid Cymru of course our view of Welsh nationhood, the way we approach the very concept of Wales, stems from our belief that our nation is only strong when its communities are resilient and vibrant.

That distinguishes us from the other parties whose ideas about nationhood and statehood are based fundamentally on the might of the centre – the concentration of power rather than its dispersal.

My friend, the great Dr Phil Williams, who of course also hailed from the county of Gwent used to say that we are not simply Plaid Cymru – Cymru with a 'u' but every bit as much

Plaid Cymry – Cymry with a 'y'; the party of the people of Wales as much as the party of Wales itself.

We have no vision for Wales, no policy platform that isn't centred on building successful communities.

That is why for us the upcoming local elections are every bit as important as national or Westminster elections.

I am so pleased that across the nation we have such dedicated community champions who are standing up for their local communities and I look forward to their re-election and election as ward councillors in a few weeks.

We can only build the Wales we want to see through building the communities we want to see – after all we're a bottom-up, not a trickle down party.

There can be no better example of a Plaid Cymru community champion than our first speaker at conference today, Siân Gwenllian, former Gwynedd councillor and now Assembly Member for Arfon and Plaid Cymru's shadow secretary for local government and the Welsh language.

Siân is a fierce advocate for the people of Arfon – relentless in her pursuit of *laizzez-faire* Labour ministers.

She has been hot on their heels as they continue in their refusal to spread prosperity and opportunity across our country and has renewed our party as a truly all-Wales force. Ffrindiau, rhowch groeso cynnes os gwelwch yn dda i Siân Gwenllian.

Brexit Debate Speech

June 2017

Diolch, Llywydd, and I formally move the motion in the name of Rhun ap Iorwerth.

This is a timely debate, coming as it does on the day of what is expected to be a Brexit-heavy Queen's Speech and in the week where formal negotiations between the UK and EU begin.

It is also the week where the Welsh government has elaborated further on proposals first announced in Securing Wales's Future – the joint White Paper between Plaid Cymru and the Welsh Government – on upholding devolution and creating shared governance structures between devolved nations and the UK government, following our withdrawal from the European Union.

Before going any further, Llywydd, I want to take the opportunity, as Plaid Cymru's spokesperson, to set the record straight following exchanges between the First Minister and my party leader yesterday on the issue of single market membership.

Yesterday the First Minister said and I quote:

> Her party has already agreed that you can't be a member of the single market without being a member of the EU. That is what we agreed, if she remembers that.

In the strongest possible terms I want to place on record that that is not true, it has never been true and it never will be.

Plaid Cymru's position since the day after the referendum

last year has been for the UK to remain a member of the single market following our departure from the EU.

On the 21st of September last year we tabled a motion in this assembly calling for such an outcome, which was sadly defeated, making this parliament the first in these islands to back a so-called hard Brexit.

The position of the Welsh government was that Single Market membership did not exist outside the EU – not a position shared by Plaid Cymru.

However both parties engaged constructively in a process that led to the publication of the joint white paper, recognising that full and unfettered access to the Single Market – the preferred term of the Welsh Government – and Single Market membership – the common shorthand term used by almost everyone else, were potentially one and the same in actuality.

That is why throughout the joint white paper a new term – Single Market participation – was adopted to accommodate both positions.

That provided the basis for respect and cooperation in the national interest.

Llywydd, it is a matter of integrity for me that my position and the position of my party is not misrepresented and it is a matter of deep regret that it has been.

It is important because the issue of Single Market membership is now the defining issue of our time.

A minority Tory government in Westminster, with a bloodied nose, has provided all of us who seek to avoid a hard Brexit with an opportunity to ensure a future relationship with the European Union that upholds our economic interests and ensures a continued political partnership with our continental friends and allies – an opportunity that seemed remote just a few weeks ago.

Indeed, I very much welcome a piece published in yesterday's *Guardian*, by more than fifty politicians, calling for continued Single Market membership.

Its authors include Madeleine Moon, Stephen Doughty, Lord Hain, Ann Clwyd and Chris Bryant.

Our motion today reaffirms this Assembly's commitment to the Welsh White Paper which remains the most comprehensive publication published in the UK for a future relationship with the EU and the framework for defending the Welsh constitution.

We note with deep regret that the UK government to date remains unwilling to properly engage with devolved governments and parliaments for Brexit that works for all, and indeed it is a reflection of the imbalanced nature of this over-centralised and unequal union that the most important peacetime negotiations in history have commenced without full and proper negotiations between the nations of these islands were even attempted, let alone concluded.

The UK government's 'wait and see' approach, I believe, will be exposed very soon as being unsustainable, unfair and unsatisfactory to the people of Wales.

They cannot afford to 'wait and see' when the fate of their jobs and of their communities hang in the balance.

Speech at Mebyon Kernow
Annual Conference

October 2017

PRYNHAWN DA. IT is a pleasure to be here to address your annual conference.

On the way down I was trying to recall just how long it had been since I last addressed you.

I think it was in 2008 or 2009.

In any case, the world has changed a great deal since then – indeed, even in the past year alone, the tectonic plates of politics have shifted and the consequences will be seismic.

It has been a big year for me personally as well.

In May I was elected to the National Assembly for Wales, representing the best corner of our country – the south eastern corner and, believe it or not, I am the youngest Assembly Member.

In addition to representing the south east, I am also Plaid Cymru's Shadow Secretary for External Affairs.

I must say when Leanne Wood called me into her office to notify me of my shadow cabinet appointment I thought external affairs would be a lot of fun once the EU referendum was out of the way!

The result was obviously not what Plaid Cymru had hoped for but it has nonetheless fallen on Plaid Cymru as always to ensure that Wales' interests are now heard loud and clear in this new political context.

It is a challenging period of course for us.

As a party whose objective is the establishment of an independent Welsh State within the European Union, seeing a majority of our compatriots vote to leave the EU has been a bitter disappointment.

But as I am reminded often, in 1979 we lost a referendum on devolution for Wales – by a huge margin – we did not give up and disappear, we regrouped and twenty years later we secured the first parliament for Wales in six hundred years.

So today, conference, I wanted to talk a bit about Plaid Cymru's Brexit response and in my external affairs role offer perhaps some thoughts on how Cornwall might emerge from the current position of being the forgotten nation of these islands, to one that forces itself into the political ring.

I also wanted to say a few words about the new trend that is emerging in many Western democracies, although by no means all, of economic and social grievance articulating itself in the way it has, whether that's Trump in the US or Brexit here or Le Penn in France.

Plaid Cymru's immediate response to Wales voting to leave the EU was to establish the point that although no one was, and indeed still is able to define Brexit, Westminster should be under no illusions that the vote was for a roll-back on devolution and a centralisation of power to Westminster.

Indeed, the vote has made it essential for further devolution and further constitutional reform.

But we live in times where British nationalism has been revived, it is bold and it is confident.

Talk of sovereignty and taking back control.

This context represents the greatest threat to Welsh political nationhood in decades.

As Scotland further emerges as a political entity in its own right, as Northern Ireland's power-sharing executive makes clear its particular wants, there is a danger before us that Wales will become submerged into a Greater England entity.

The weakness of both our devolution and our Labour government leave Wales exposed to that very real threat.

So that is why Plaid Cymru has accelerated our demands

for political and constitutional parity for Wales with Scotland and Northern Ireland.

It has always been a matter of principle for us, now it is a matter of necessity.

We've also made it clear, that upon our leaving the EU, any powers that are transferred from Brussels and relate to devolved matters, must bypass London and come to our institutions in Wales.

Indeed, just a couple of weeks ago, I called for a Great Continuity Bill for Wales to counter the so-called Great Repeal Bill, so that Wales can set in statute all areas for which we have jurisdiction, and so we can continue to comply with EU standards post-Brexit.

And we want to go further.

There will need to be a federalisation of policies and structures at a UK level.

We've called for a new UK Council of Ministers representing all the nations so that matters that cross our borders are decided jointly, not dictated by the British State or the UK Parliament.

We're also fighting to make sure that Westminster doesn't have free reign to damage Welsh public services and Welsh businesses through shutting down the border if there's a hard Brexit.

We've unveiled proposals for a Welsh Visa system so that if free movement of people or labour occurs, then our government in Wales will be able to issue work permits for industry and especially the NHS.

But friends, it remains our priority that the UK if possible, or Wales if not, remain within the European Single Market.

It would be economically devastating for Wales – as the only country in the UK with a trade surplus – to be taken out of the Single Market and subjected to tariffs and multiple regulatory frameworks.

Between the UK government and Welsh Government – there's no plan for Brexit.

But when and if a plan emerges, if it is deemed to be harmful to Wales, then Plaid Cymru stands ready to provide the people of Wales with an opportunity to consider their national future in a referendum.

The prospect of both the economic devastation of being dragged out of the Single Market and the political implications of being gobbled up into a Greater England entity is not acceptable to us.

But friends, Wales isn't the only Brythonic nation with so much at stake in the coming period.

Cornwall, like Wales, has benefited from EU programmes and aid – the kind of support Westminster has never considered providing either of our countries.

But of course, the politics of Brexit is as important as the money.

It has dawned on me in recent months just how many forums Cornwall is locked out of at a UK and British Isles level.

As Shadow Secretary for External Affairs, I represent Plaid Cymru on the British Irish Interparliamentary Assembly – BIPA for short.

It's a body that comprises parliamentarians from all the nations of these islands including Ireland and the Crown Dependencies.

At that body we discuss issues of mutual interest for all peoples and we sit as equals.

More than ever, I think it is crucial that political leaders from Cornwall are there, because as we reshape relations in these islands, then the new framework we create must consider all nations.

The next BIPA meeting will take place in Cardiff in just a couple of weeks and if it's acceptable to you, I'd like to formally raise the idea of inviting Cornish representatives to the body.

In addition to BIPA, a new body has been created at UK level to deal with EU negotiations and cooperation between the nations.

It's called JMC-EN – Joint Ministerial Committee on European Negotiations.

Again this body is void of any Cornish voices and yet its influence could result in a significant impact on Cornwall.

With both these institutions, I think it would be worth Mebyon Kernow's while to begin campaigning for Cornish inclusion.

And I say that, not just because of the immediate decisions they will be making, but because it is my firm belief that these bodies will develop to form a new organisation to deal with relations between the nations of the UK and the British Isles post-Brexit.

In Scandinavia, they have a long-established Nordic Council that represents all the region's nations, whether they are independent states or not, whatever they're relationship with the EU.

It is vital that if our equivalent in these islands emerges, that all nations here – Cornwall included – are represented.

If this is a campaign your party would wish to pursue then Plaid Cymru would be very happy to support your efforts in any way we can.

But for both Wales and Cornwall, Plaid Cymru and Mebyon Kernow, the biggest challenge we face in this post-Brexit, post-Trump, post-truth world is to bring together our respective national movements with local politics.

The wave of grievance expressed through the rise of the Right and the Brexit vote represents a fundamental discontent with the political system.

The challenge for us is to redouble efforts at community level to prove to people that politics can work for them, that not all politicians are self-interested and faceless, that progressives can get local results for people in their community.

This effective community socialism, along with a modernisation of our national causes, our progressive patriotism, is our best hope of channelling legitimate grievance towards a positive outcome and diverting it away from the ugly, divisive politics of British nationalism and isolationism.

Crucially, that has to be the basis for enthusing young people – so many of whom are desperately despondent after the EU referendum result.

Progressive patriotism and community socialism, represent a formula for optimism in this period of despair.

It's been a few years since I last addressed this conference and by the time of my next visit it is quite conceivable that the British State will no longer exist, at least not as we know it.

The questions of the Irish border and Scottish independence might well result in both our countries finding themselves submerged further by a Greater England entity.

Our challenge is to ensure that as the political context develops, that all the Celtic nations – not just the Gaelic countries – are at the centre of the change that is coming.

Both Cornwall's and Wales's interests in that respect overlap.

And as we move forward and confront that, I very much look forward to continuing the cooperation and the fraternal solidarity between Plaid Cymru and Mebyon Kernow.

Diolch yn fawr iawn.

Prynhawn da, gyfeillion,

Bob hyn a hyn mae cyfle yn dod ac mae rhyw achlysur yn sbarduno cyfnod bach o adlewyrchu, o hunanasesiad.

Hunanasesiad personol ac hefyd hunanasesiad ar y cyd, fel grŵp, fel mudiad ac fel plaid.

Mae dau ddatblygiad diweddar wedi creu'r fath amgylchiadau i fi.

Yn gyntaf, buom ni'n drist dros ben yn etholaeth Islwyn i golli ein ffrind, ein cymrawd Jim Criddle, yn yr wythnosau diwetha.

Cawr o ddyn oedd Jim – cenedlatholwr i'r carn, wedi buddsoddi dros bedwar degawd o'i fywyd i'r achos cenedlaethol.

Rhoddodd e bopeth i'w gymuned a'i wlad yn y gobaith o weld rhyw ddydd, y Gymru Rydd sydd yn freuddwyd i ni gyd yma.

Rydym ni'n ei golli e'n fawr ond yn ddiolchgar am ei waith, am ei gyfeillgarwch ac yn benderfynol na fydd yr aberth a wnaeth yn ystod ei fywyd dros Gymru yn ofer.

Mae hyn hefyd yn gyd-destun lle, am y tro cyntaf am rai blynyddoedd, mae gennym ni gyfnod heb etholiadau.

Mae hyn yn gyfle i ni adlewyrchu ar y cylchred etholiadol ddechreuodd 'nôl yn 2012 ac sydd yn dod i ben gydag etholiadau San Steffan eleni.

Ond yn bwysicach oll, mae gennym ni gyfnod i ailadeiladu ein plaid ac i sicrhau bod gennym ni'r weledigaeth, y blaenoriaethau, a ffydd pobl Cymru, i arwain llywodraeth ein gwlad ni yn 2021.

Ac mae'n rhaid i ni edrych ar y sialens anferth sydd o'n blaenau gyda'r hyder, y gred ynom ein hunain a'n gilydd, i wneud yr hyn na wnaeth neb o'r blaen.

The political context we find ourselves in today demands of us not simply a defensive response but, more than ever, it demands we present our fellow citizens with a vision for our nation that can inspire and excite.

We are not here as political commentators, to simply describe problems or cry foul play.

We're nation builders.

And as nation builders, our biggest obligation as we seek to lead our country is to take on those whose ideology and dogma are running roughshod over the interests of our people.

Within weeks of last year's EU referendum, we came together as a party and we formulated a vision for a future relationship with the European Union.

Recognising the referendum result in Wales and articulating a blueprint that would defend Welsh jobs, investment in our communities, uphold rights and standards for citizens and provide security for EU nationals here and UK nationals on the continent.

We warned that two referenda establishing Welsh democracy should not be undone by one squalid, lie-infested referendum on EU withdrawal.

Then the Tories came and published their white paper for the short-lived Great Repeal Bill.

It set out their case for taking back control – but not from Brussels – from Wales instead.

That process resulted in the EU Withdrawal Bill, better described as the Westminster Enabling Bill, because it enables Whitehall Ministers to change, amend or repeal any act passed by the democratically-elected National Assembly for Wales, at any time without any recourse.

Plaid Cymru repeats today our warning to the Tories, back off and hands off our democracy.

Steffan ifanc gyda Dafydd Iwan.

A young Steffan with Dafydd Iwan.

Wedi ei wisgo fel Owain Glyndŵr i ddathlu Dydd Gŵyl Dewi yn Ysgol Gymraeg Cwm Gwyddon, 1994.

Dressed as Owain Glyndŵr to celebrate St David's Day at Ysgol Gymraeg Cwm Gwyddon junior school, 1994.

Fe gafodd Steffan a'i deulu docynnau i fynychu seremoni'r Cadeirio yn yr Eisteddfod Genedlaethol gan yr Archdderwydd Dafydd Rowlands.

Steffan and his family were given tickets to attend the Chairing of the bard ceremony at the National Eisteddfod by the then Archdruid Dafydd Rowlands.

Siân, ei chwaer, a Steffan.

Siân, his sister, and Steffan.

Steffan yn ei siwt yn yr ardd
adre yn Nhredegar, pan oedd
yn gweithio i'r Dr Phil Williams.

Steffan in his suit in the garden
at home in Tredegar, when he
worked for Dr Phil Williams.

Siân Rhiannon yn cyflwyno Tarian Siarad Cyhoeddus Rotari Rhanbarth 1150 am y siaradwr gorau i Steffan yn 2001. Fe aeth ymlaen i gynrychioli Cymru yng Nghanada.

Siân Rhiannon presenting the Rotary's Regional 1150 Public Speaking Shield for the best public speaker to Steffan in 2001. He went on to represent Wales in Canada.

Steffan a'i gyfeillion ar y llwyfan yn y sioe ysgol, *Man Gwyn*.

Steffan and his friends on stage in the school show, *Man Gwyn*.

Steffan gyda'i dad, Mark, ar ddiwrnod ei briodas.
Steffan with his father, Mark, on his wedding day.

Fe briododd Shona a Steffan yn Inverness.
Shona and Steffan got married in Inverness.

Y cwpwl hapus yn edrych i'r dyfodol.
The happy couple look forward to the future.

Shona gyda Celyn newydd ei eni.
Shona with newborn Celyn.

Roedd Steffan wrth ei fodd yn gofalu
am ei deulu.
Steffan loved looking after his family.

Steffan, Celyn a Shona gyda theulu Shona (brawd Kevin, chwaer Caroline, brawd yng nghyfraith Jon, mam Elaine a thad John) ym mhriodas Caroline â Jon Rowe yn 2015, yn Tongue yng ngogledd pell yr Alban.

Steffan, Celyn and Shona with Shona's family (brother Kevin, sister Caroline, brother-in-law Jon, mum Elaine and dad John) at Caroline's wedding to Jon Rowe in 2015, in Tongue in the far north of Scotland.

Shona, Celyn a Steffan ym mhriodas Siân ym Mhenarth yn 2016.

Shona, Celyn and Steffan attend Siân's wedding in Penarth in 2016.

Cwtsh mawr i Celyn yn ystod penwythnos deuluol yn Nhyddewi.
Cuddles for Celyn during a family weekend away at St David's.

Steffan, y ffan pêl-droed yn ei siaced Celtic, yn chwarae gyda Celyn.

Steffan, the football fan in his Celtic jacket, plays with Celyn.

Steffan yn darllen stori i'w fab.

Steffan reads his son a story.

Mwynhau amser i'r teulu.

Enjoying family time.

Lluniau/photos: Kate Davey Photography

Gwên fawr y tad a'r mab.

Big smiles from father and son.

Llun/photo: Kate Davey Photography

Mwynhau hufen iâ ar draeth Porthcawl, haf 2018.

Enjoying an ice cream on Porthcawl beach, summer 2018.

Graddio mewn Hanes ac Astudiaethau Americanaidd o Brifysgol Morgannwg yn 2012.

Graduating in History and American Studies from the University of Glamorgan in 2012.

Steffan yn cefnogi Cymru yn yr Ewros yn 2016, gyda'r Parch. Aled Edwards a Stephen Thomas.

Steffan supporting Wales during the Euros in 2016, with the Rev. Aled Edwards and Stephen Thomas.

Dathlu pen-blwydd Nia
– Steffan, Neil, ei lysdad, Nia,
Gail a Siân.

Celebrating Nia's birthday
– Steffan, Neil, his stepdad,
Nia, Gail and Siân.

Nia, ei chwaer, a Steffan.

Nia, his sister, and Steffan.

Shona a Steffan yn dathlu pen-blwydd Celyn yn dair oed gyda Siân a Tomos, ei mab.

Shona and Steffan celebrate Celyn's third birthday with Siân and Tomos, her son.

Shona a Steffan yn gwisgo top Celtic ym mharc gwledig yr Highland Wildlife Park yn Kincraig, yn ucheldiroedd yr Alban ger Inverness yn 2018.

Shona and Steffan wearing his Celtic top at the Highland Wildlife Park in Kincraig, in the Highlands near Inverness in 2018.

Gail, ei fam, gyda Steffan.

Gail, his mother, with Steffan.

Dathlu pen-blwydd Steffan yn 34 oed adeg cyhoeddi y daith gerdded i godi arian at Ysbyty Felindre yng Ngorffennaf 2018, gyda Nia, Neil a Gail.

Celebrating Steffan's 34th birthday during the sponsored walk to raise money for Velindre Hospital in July 2018, with Nia, Neil and Gail.

Steffan yn llawn hwyl yng nghwmni Nia.

Steffan full of fun in Nia's company.

Aled Ffred Jones, Steffan Lewis, John Griffiths AC, Cynog Dafis, Jill Evans ASE, Jocelyn Davies a Ieuan Wyn Jones.

Aled Ffred Jones, Steffan Lewis, John Griffiths AM, Cynog Dafis, Jill Evans MEP, Jocelyn Davies and Ieuan Wyn Jones.

Roedd Rhun ap Iorwerth AC yn un o'r rhai fu'n codi arian.

Rhun ap Iorwerth AM was one of the fundraisers.

We have waited six hundred years for home rule; we will not allow it to be undermined by Tory ministers in London.

This week the Tories have said they intend to consult with devolved governments on new UK-wide rules and frameworks that will be introduced after Separation Day.

They announced it as if we should be grateful to them for acknowledging our existence.

Wales is not some third sector representative body or an interest group.

We're a nation and Plaid Cymru's position on UK-wide frameworks remains the same: they are either agreed by all governments or they do not happen at all.

The fact that the Tories think they can fail to win a UK general election, get no mandate from three of the four nations and then impose their will upon the rest of us, on a subject for which Westminster has no jurisdiction over us in Wales tells us everything we need to know of their plans for post-separation Britain:

A centralised, isolated British State with power concentrated in the hands of the privileged in Westminster.

This is the biggest threat to Wales since the election of Margaret Thatcher as Prime Minister in 1979.

Conference, we must warn the people of Wales.

Yes, the Tories are divided, their government a shambles and their prime minister weak.

But we must never underestimate another characteristic: they are dangerous.

For all the Euro-flirting in Florence, they may be trying to change the mood music of the negotiations, but the lyrics have stayed the same.

Watching this Tory government and its blunder Brexit, it can sometimes feel like we're watching some form of political reality TV; wondering what will happen today in the Tory Big Brexit House.

Some of the contestants are portrayed as being eccentric, jovial and harmless.

But these people are not whacky cartoon characters – they are calculating, ideological and they are very serious.

When Boris Johnson, Secretary of State for Foreign Affairs, says that the town of Sirte in Libya could be ready to be turned into a resort like Dubai by British business men once the dead bodies are cleared off the streets, that's heard by those who are doing the painstaking work of rebuilding their destroyed city.

When he compared the EU to Nazi Germany, saying both were trying to unite Europe, or warned François Hollande not to give 'punishment beatings' in the 'manner of some World War Two movie', that was heard across Europe by those who sit on the other side of the negotiating table from us in Brexit talks.

When Philip Hammond, the Chancellor of the Exchequer, calls the EU27 'opponents' and 'enemies', that was heard by those who will determine how much the UK must pay to settle our accounts when we leave the EU.

When disgraced International Trade Secretary Liam Fox accuses the EU of 'blackmail', that's heard in the countries that we are relying on to come to a good trade arrangement following Brexit.

When the Prime Minister is photographed hand in hand with Donald Trump, that sends a clear message to the world which direction the UK is choosing to go in.

The Tories are free-market fanatics, and their nationalism is a threat to all we hold dear.

That Tory threat to Wales must be met by a decisive and pro-active response, but it is disappointing that that is not forthcoming from the current Labour government.

In October last year, I warned them that the Tories plan for legislation on EU withdrawal would not simply be a legislative tidying up process.

That we had to be alert to their desire to restrict Wales' self-government.

That was noted by Labour but went unheeded.

Plaid Cymru insisted that Wales should reserve the right

to legislate for itself in order to defend our constitution, to maintain European standards and uphold the rights of citizens.

That point was conceded by Labour.

But conference, now the Tories have put their intentions to paper and we can see before our own eyes precisely the nature of the threat to Wales, the clock is ticking and we are beyond the point where pre-emptive legislative action is needed.

And so I say to the Labour Government today, bring forward in the coming fortnight a Welsh Continuity Bill and if the Tories want to take you to court over it, let them.

Let them face not just the judges in arguing for their power-grab, let them face the court of Welsh public opinion too.

Labour's last election slogan after all was 'Standing up for Wales'.

If they do not do so, then Plaid Cymru is prepared to introduce emergency legislation to defend the national interest.

That is essential for our political nationhood.

But we must also take steps to safeguard our economy too.

Neither Labour nor the Tories provide the Welsh private sector with a vision that gives them security or the environment for them to flourish.

And we need our private sector to flourish.

It is they who will drive the sustainable growth we need for good quality, well-paid jobs and will provide the tax revenue we need to create a fiscally sound Wales with world-class public services.

The Tories are prepared to throw Welsh business off the Brexit cliff and Labour see them as adversaries rather than partners.

They need a champion in Welsh politics and in government.

Welsh-based businesses in particular are the bedrock of our economy, they provide the very foundations upon which our national success story will be built.

They are crippled with uncertainty and they are being held back from unleashing the full potential of Wales' next industrial revolution.

As a bottom-up party, we in Plaid Cymru have advocated for some time creating economic hubs across our country, to spread opportunity and prosperity and give business the support it needs to flourish.

Wales as a whole will only ever be as strong as its weakest community.

And what has Welsh Labour's response been?

A refusal to designate proper strategic hubs in those areas that need it most, ignorance of the needs of the north and in their latest Valleys publication, an abject failure to meet the challenges we face with decisive, game-changing initiatives.

Our country still languishes behind most others in terms of investment in research and development.

We need innovation centres for excellence across the nation, to re-industrialise our country.

Instead, Labour tell people in the north that their future is essentially based on crumbs from the English Northern Powerhouse.

Labour's message to Mid Wales is 'go and talk to Birmingham'.

The message to the Valleys is, 'get yourself on the M4 corridor'.

Now is the time to think big.

Now is the time to work with small enterprises to see how we can make them medium enterprises, and it's time to identify and support those fledgling Welsh companies that will become big, global players too.

It's time to broaden our horizons, not narrow them.

We need to believe in Wales now more than ever.

No party has a divine right to rule and that includes our party.

We have to earn the right to govern, we have to win the faith and trust of our fellow-citizens and prove ourselves worthy of rebuilding and renewing this magnificent country.

We have an opportunity in the coming months to demonstrate that we are the party of the progressive patriots, of those whose values form the moderate majority: resistant to the extremism of the Tories and doubtful of the suffocating disempowerment offered by Labour.

This is not a political context for despair, conference, not a time for us to either slump in resignation or somehow acquiesce to the false choice of red or blue British politics.

We have an exciting mission to build a new nation from an old country; working to bring the best out of each other so we have a country and communities that can stand on their own two feet.

I keep hearing Wales described as a small country.

But as one of the greatest Welsh people of our time, Chris Coleman, has said:

Wales is only as small as its ambition and its dreams.

In terms of our ambitions for Wales, we're a continent.

Speech to introduce Welsh Continuity Bill

Senedd Chamber, January 2018

I'M VERY PLEASED to formally move the legislative proposal for a Welsh Continuity Bill. I want to also place on record, Llywydd, that the introduction and even enactment of a Welsh Continuity Bill is not, and has never been, the preferred option of Plaid Cymru.

Indeed, I recall suggesting in the aftermath of the European referendum, that the four governments of the UK get together, perhaps using an accession in reverse template as a means of establishing how we leave the European Union and how we can accommodate the constitutional complexities of this union. That would not have been easy, it wouldn't have been a straightforward process, and it would've taken time. But, it would have been the best process, the fairest one, and it would've resulted in the UK being in a position to trigger Article 50 with its eyes wide open. The UK Parliament then could have considered a far more satisfactory Withdrawal Bill that would have effectively been concurrently written and agreed by all governments of the UK. Instead, Llywydd, the UK government have shown little but contempt for the devolved nations.

Members will recall my alarm at the now infamous paragraph 4.2 of the UK government White Paper for what was then called the Great Repeal Bill, which intentionally misrepresented how the UK agrees to common EU frameworks that refer to devolved matters. Plaid Cymru correctly predicted at the time that this misrepresentation acted as a means to lay the groundwork for a Westminster power grab, and here we are with the now named EU Withdrawal Bill, which is a naked power grab if ever there was one. Clause 11 of the Bill will put new constraints on this Assembly's ability to legislate. Powers over long-devolved matters, like agriculture and environmental protection, will be seized by Ministers in Westminster. Decisions that will deeply affect the livelihoods of Welsh farmers, for example, will be made in Westminster by those who are also very keen to strike new trade deals with countries like America, Australia and New Zealand at all costs.

The UK government have promised that the Assembly will be strengthened, offering substantial new powers, although they have been so far unable to identify a single one. Since the alarm bells have been ringing, Plaid Cymru has called for unilateral legislative action in the form of a Continuity Bill, not because we wanted Wales to be under this threat, but because Wales is under this threat.

Llywydd, when I've spoken about a Continuity Bill in the past, there have been a few Members here who have questioned my motives and, perhaps, suspected that it's part of a 'remoaning' Welsh nationalist plot to stop Brexit and somehow bring down the British state. Well, I have learned in the last few weeks that life is far too short not to say what you believe and to believe what you say. I am a Welsh nationalist, and I will always believe in a European future for my country, but whether you were Leave or Remain, and whether you are unionist or nationalist, are irrelevant to the question of the Continuity Bill. Whether to support a Continuity Bill or not comes down to how you answer one simple question: do you believe that the referendum of 2016 provides a mandate for the UK government to remove powers from this National Assembly? Plaid Cymru says it does not provide such a mandate, particularly when quite the opposite was promised to the people of Wales during that referendum.

Llywydd, timing is also important and I am at a loss to understand why the Welsh Government wishes to push this issue to the very last minute. Not one Welsh Government or Scottish Government joint amendment was accepted by the UK government in terms of the Withdrawal Bill; the UK government even broke its own promise to bring forward its own amendments to improve the Bill at Reporting Stage. What more do they need to do to threaten Welsh devolution before we are prepared to act in defence of our hard-won democracy?

Llywydd, be in no doubt: once they have their hands on Welsh agriculture, the Welsh environment, there are measures that they will implement that may prove irreversible if ever we get those powers back. We have a window to act in the interests of our citizens and the rights and standards that they hold dear, in addition to the democratic structures that they have endorsed in two referenda. Let's take this opportunity with both hands. I commend this proposal to the National Assembly.

THE YOUNG AM TRYING TO MAKE A DIFFERENCE
WHILE FIGHTING TERMINAL CANCER

WESTERN MAIL, SEPTEMBER 2018

PLAID CYMRU AM Steffan Lewis is 34 years old. He is writing a memoir for his three-year-old son Celyn after being diagnosed with stage four cancer last December

Steffan Lewis, one of Plaid Cymru's most articulate politicians, speaks with great lucidity about his cancer and the fact that he is likely to have limited time left to spend with his wife Shona and three-year-old son Celyn.

Elected as a regional AM for South Wales East in 2016, he has impressed politicians from all parties with the way he has handled the demanding Brexit brief, which he continues to do despite his illness.

He spoke to the *Western Mail* about how he coped with his political duties at the same time as being treated for cancer.

The 34-year-old came close to losing his life in February when his liver started failing but was saved by medics at Velindre Hospital in Cardiff, which he has previously described as a 'second chance'.

However he knows that he would be lucky to live for more than four years.

He said: 'There are a couple of things that have kept me going, and helped divert my attention away from the cancer.

'At one point the cancer with me did become almost like a daily obsession.

'It was almost like I was in election mode, where every day was "campaign day".

'So everything became about the cancer – asking about

going for a second opinion from a doctor here, can I do further research on treatments that might be available there.

'That was not a healthy situation to be in.

'So having an escape through work has been invaluable and being well enough to participate in these really interesting – albeit very complicated and frankly dangerous – times, has been a big welcome.

'I would say that along with having my family and particularly my son – he brings such joy in really dark times.

'Having work as well and being intellectually stimulated has helped me greatly get through this ordeal.

'And even as I now live with the great uncertainty of the cancer – it can come and take me at any point, and that's something I've struggled to come to terms with, but I have to some degree come to terms with that.

'It can come at any time and take me – but it hasn't yet.

'Back in February, when my liver was failing and I was in Velindre Hospital, I was told to write my letter – that my time was up.

'So I've got through that and every day after that I see as a bonus.

'So when I can come into work to do my job, or take the boy to the park to play on his bike, I get such joy out of things people might say are ordinary or mundane occurrences.

'I'm very grateful that I've been able to continue to contribute.

'It is unpredictable. I'm on a clinical drug trial at the moment. I'm having a break from chemotherapy, which is very welcome indeed, because towards the end it had a cumulative effect on me.

'At the beginning of the chemotherapy process I thought I could deal with it, that it wasn't too bad, but it's cumulative over time, and the fatigue got to the stage that I wasn't able to come into work, I wasn't able to do day-to-day things.

'So I'm on this clinical drug trial now which, even though it is a little unpredictable, with the main side effect again being fatigue, it gives me more days than not when I'm able to function and get about or work or spend more time with the family.

'That element of unpredictability is still there but it's far less so than when I was on the chemotherapy.

'So I can pretty much guarantee that I can do four or five hours on a Tuesday and a Wednesday and I can get to my Brexit committee on Mondays as well and do maybe three hours there as well.

'That's what I aim to do as a core in the Senedd. Usually on a Thursday I need to take a bit of time off and rest but then I'm back in the constituency office on a Friday for a couple of hours.

'That's what I'm aiming for, although I'm very conscious that my oncologist and my wife keep telling me not to push myself too much.

'That worked last week – I take each week as it comes and hopefully I'll be able to replicate that this week too.'

Discussing the prognosis, he said: 'Medium and long term it's not good.

'It's bowel cancer that I have but before my diagnosis it had spread extensively to my liver, my lymph nodes and to my lung.

'I responded well to the chemotherapy in terms of the tumours were shrinking and some tumours did disappear.

'But in terms of the current treatments available I'm unlikely to beat the statistics for the long and medium term.

'The average I think is up to five years after diagnosis – and at the moment there's no reason to believe I'll be able to do anything beyond and above that.

'So up to four years. But, as I say, it can come at any point.

'There's no rhyme or reason to this horrible disease.

'But at the same time as being quite a rational person and knowing where I stand there are advances all the time in cancer.

'So I've still got to believe that a miracle can happen for me.

'I try not to think too much about the long term. I do try and live week by week, month by month, and make the most of every day.

'It's really not a cliché – that's how I operate and that's working for me.

'And at the back of my mind I'm thinking, who knows, something might happen that means I can defeat it and have even longer than the four or five years that I'm expected to have.

'As I say, I defied it once back in February when the odds were really stacked against me, so who knows – I'm young, relatively fit and well apart from the cancer, so if anyone's got a chance of some level of longevity then hopefully that can be me.'

Asked about the advice he'd give to young people diagnosed with cancer, he said: 'To talk about it as much as possible, particularly in the initial periods.

'It's very easy to internalise this.

'I'm very conscious I'm the protagonist but my family, my friends – of course none of them want to lose me.

'They want me to overcome and succeed and defeat this. It has an effect on them emotionally too. I would say externalise it.

'There's an awful lot of talk about staying positive. Do you know, some days you're not going to be positive, and that's fine.

'Be negative, be angry – you're entitled to if you want to. Be gutted, be low, question it.

'Ask yourself: "Why me?" Allow yourself to go through the emotions because I think ultimately you end up in a place where it becomes easier to come to terms with it: you've put yourself through that emotional roller coaster.'

He said: 'My boy started pre-school at the beginning of the month. I was quite emotional at that point because there was a time when it didn't look likely I'd be witnessing it.

'He went to school with his little uniform on, proud as punch at three and a bit years of age.

'So now my aim is to see him start at actual school. If I can get to see him starting in school proper, that will be an important milestone.

'I just want to be able to see as many of the milestones occurring in his life as possible, bearing in mind that I'm unlikely as things stand to see him grow into adulthood.

'His talking is coming along really well now so I'm able to have conversations with him.

'It's important for me that before this cancer takes its course that I have a relationship with him and that we can have a conversation that's beyond baby talk and toddler talk.

'I was really affected by the story of the BBC Radio 5 Live presenter Rachael Bland, who lost her life at 40 recently to breast cancer.

'She talked about how she was keen to write a memoir for her son as quickly as possible because she wouldn't be around to give him some advice on life and all the rest of it.

'That's something I'm doing now. I've started a memoir for my boy so whatever happens I hope that he'll be able to get to know me through that memoir.'

Interview: Martin Shipton

Continutiy Act Repeal Speech

November 2018

It is strange, Llywydd, looking back at the past twelve months or so and the journey the Continuity Act has taken since it was first mooted.

Indeed, contrary to Assembly folklore, I was not the first member to raise the prospect of a Continuity Act on the floor of this chamber – the person now occupying the post of Counsel General for Wales was ahead of me and maybe that explains why he's gone on to bigger and better things in the meantime!

It has been clear from the outset though that members from almost all sides were able to agree that legislating in order to uphold devolution in the context of EU withdrawal was appropriate and necessary.

I happen to believe that it was among the finest hours of this parliament that we acted across party lines in the interests of something far greater than ourselves as individuals or as individual groups: our political nationhood.

Tribute should be paid especially to those who crafted the Continuity Bill. This was not an easy piece of legislation to craft, it is highly technical and intricate and it is a credit to its authors.

Like Welsh Government, I would much rather there not be a need at all or in the first place for Welsh Continuity legislation.

It has always been my view that if the UK government really cherished this Union, if they genuinely respected the nations of the UK, then from the outset, the mechanics of EU withdrawal could and should have been negotiated between the nations of the UK before Article 50 was triggered.

I believe that an accession in reverse model of withdrawal could have accomplished this.

The UK government chose not to engage with the devolved governments on the basis of respect and partnership and they have deliberately decided not to do so at every stage of this process since the referendum.

Continuity legislation therefore became essential because there was no other way of securing the wishes expressed by the people of Wales in two devolution referenda.

It is, Llywydd, with great sadness that the consensus which brought about the Continuity Act has now evaporated in light of the intergovernmental agreement between Welsh Government and the Westminster government.

I still believe that the Continuity Act should remain on statute and I believe so for four primary reasons.

Firstly, I believe the intergovernmental agreement fails to deliver the safeguards needed to ensure Welsh laws are free from unilateral interference from Ministers in London.

Indeed, Llywydd, section six of the agreement makes it clear that UK Ministers can make changes in devolved fields even if Wales objects.

Secondly, now that we know the UK government's intention through the Draft Withdrawal Agreement, given that we know it fails to meet the aspirations of Securing Wales' Future, it makes no sense to facilitate the UK government's wishes through repealing our legislative shield. That seems to me to be a clear contradiction.

Thirdly, I do not believe the UK government is in any position to be trusted to even attempt to seek agreement with Welsh Ministers on the future implementation of the Withdrawal Act. They have form for breaking the Sewel Convention and in their new-found desperation will do so again without a second thought.

Fourthly, I find the timing of this proposed repeal puzzling. We are awaiting the judgement of the Supreme Court on the Scottish Continuity Act. Would it not be best for members here to make a decision on whether or not to repeal our legislation in full knowledge of the legal and constitutional ramifications that that judgement will provide?

This issue, Llywydd, for me has always been bigger than personalities, parties and even politics itself.

I very much fear that precedents set now, during these extraordinary times, may linger well into the future and cast lasting doubt over the ability of this place to legislate in key areas and could well normalise a new-found Westminster habit of legislating in devolved matters.

I simply believe that no one has the right to use Brexit or any other crisis as an excuse to change Welsh devolved laws without the agreement of the democratically elected members of this parliament.

I urge members to reject the repeal of the Continuity Act.

Gwleidydd a gyffyrddodd â'r gorwel

Meddyliwch am y fraint a gefais i o weld y bachgen brwdfrydig pedair ar ddeg oed, oedd ar brofiad gwaith gyda Jocelyn Davies AC yn y Cynulliad cyntaf un, yn dychwelyd yn aelod etholedig llawn, yn ei hawl ei hun, yn ddyn aeddfed a llawn mor frwdfrydig yn y pumed Cynulliad. Ei Senedd genedlaethol. Anghofia i fyth ychwaith pa mor falch y teimlai Steffan o gael ei ethol i'w Senedd genedlaethol ar ran pobol Gwent. Mae'r delweddau ohono'n dal yn fyw yn fy nghof – yn tyngu llw yn Siambr y Senedd yn dilyn ei ethol, gyda'i fab Celyn yn ei gôl, ei deulu o'i gwmpas a'i wên lydan yn bictiwr.

Rhwng ei arddegau a'r adeg y cafodd ei ethol yn 2016 roedd Steffan wedi cyflawni peth wmbreth yn ei fywyd personol a'i fywyd proffesiynol. Mi ddes i i'w adnabod yn dda pan ddaeth yn ôl i'r Cynulliad yn ei ugeiniau i weithio eto i Jocelyn Davies AC. Dyma i chi ddau unigolyn oedd ar yr un donfedd yn union – y donfedd o ddefnyddio'r gweithdrefnau a'r systemau cyfreithiol i'r eithaf i sgriwtineiddio, i greu newid ac i feddwl y tu allan i'r bocs. Roedd eu ffocws bob amser ar greu newid fyddai'n gwella bywydau eu cyd-drigolion yng nghymoedd Gwent. Nid rhethreg gwag y gwleidydd cyffredin oedd arf y ddau unigolyn yma ond gwybodaeth drylwyr o'r prosesau a'r polisïau gan ddefnyddio'r wybodaeth yn bwrpasol i herio'r *status quo*. Penderfyniad Jocelyn Davies oedd ildio'i sedd yn y Cynulliad yn 2016 er bod cymaint mwy ganddi i'w gynnig a'i gyflawni. Ond mi wnaeth hynny, mewn gweithred gwbwl nodweddiadol anhunanol, er mwyn sicrhau bod talent Steffan yn cael ei hamlygu ar y llwyfan cenedlaethol ynghynt yn hytrach nag yn hwyrach.

Roedd Steffan felly'n gwbl gyfarwydd â'r Cynulliad cyn ei ethol ac wedi elwa o'r ysgol brofiad orau oll wrth draed Jocelyn. Bu hefyd yn gweithio fel ymgynghorydd arbennig i Leanne Wood AC tra oedd hithau'n Arweinydd Plaid Cymru. Yn 2012, mi wnaeth Steffan fy nghynorthwyo a'm cefnogi i yn fy ymgyrch i fod yn Arweinydd Plaid Cymru. Mi wnaeth y ddau ohonom benderfynu'n syth wedi i mi golli'r ymgyrch honno bod gweithio i sicrhau llwyddiant yr arweinydd newydd yn bwysig er lles y Blaid. Roedd Steffan yn Ymgynghorydd Arbennig, minnau'n Rheolwr Busnes a Chwip Grŵp y Blaid, ac eraill fel Rhuanedd Richards, Helen Bradley a Gwen Eluned yn dîm clòs a brwd o gwmpas Leanne. Mi gawsom lot o hwyl. Yng nghanol pob math o rwystredigaethau, mae yna hwyl i'w chael hyd yn oed o fewn y bywyd beunyddiol gwleidyddol.

Pan etholwyd Steffan Lewis ym Mai 2016 yn Aelod Cynulliad y De-ddwyrain roedd eisoes felly yn wleidydd profiadol. Mi wnaeth fwrw ati ar garlam, fel pe bai'n gwybod rywsut fod ei amser yn fyr. Ond mewn realiti bwrw ati am ei fod ar dân eisiau cyflawni dros ei wlad a wnâi Steffan; roedd eisiau achub Cymru rhag dinistr posibl refferendwm 2016, ac eisiau ei rhyddhau o ormes canrifoedd. Erbyn hyn, roeddwn i'n Llywydd ac mi ges wefr arbennig o alw Steffan i gyfrannu am y tro cyntaf ar lawr y Senedd. Ni phallodd y wefr honno bob tro i mi ei alw wedyn. Mae eistedd yn sedd y Llywydd yn rhoi persbectif gwahanol i mi wrth wylio trafodaethau'r Senedd. Dim ond ambell un sy'n medru hawlio sylw llawn y Senedd gyda'u cyfraniadau deallus, treiddgar ac mi wawriodd yn sydyn iawn ar yr aelodau fod Steffan yn haeddu gwrandawiad astud. Ni siaradai Steffan os nad oedd ganddo rywbeth gwerth ei ddweud a gwerth gwrando arno. Mi wyliais ddau Brif Weinidog, Carwyn Jones AC a Mark Drakeford AC, yn rhoi eu sylw llawn i gyfraniadau Steffan Lewis. Ac rwy'n siŵr y byddai'r naill a'r llall yn cyfaddef iddynt ddysgu llawer ganddo, ac elwa o'i feddwl gwreiddiol.

Y meddwl cwbwl wreiddiol hwnnw a arweiniodd at y cysyniad o Fil Parhad a gyflwynodd Steffan Lewis gyntaf yn Nhachwedd 2016. Mesur oedd hwn i ddiogelu holl reoliadau'r Undeb Ewropeaidd mewn cyfraith Gymreig. Ers y refferendwm ym mis Mehefin 2016, roedd pob gwleidydd yn y Cynulliad wedi llwyr ganolbwyntio ar San Steffan a'r mesurau yr oedd angen eu cymryd yn y fan honno i ymateb i'r refferendwm. Mi droiodd Steffan hynny ar ei ben gan gyhoeddi y medrai'r Cynulliad ddeddfu i ddiogelu rheoliadau'r Undeb Ewropeaidd a'u cadw'n weithredol yng Nghymru. Rhaid dweud mai gofalus, os nad llugoer, oedd ymateb cychwynnol Llywodraeth Cymru. Ond parhaodd Steffan i hyrwyddo'r achos a mynd ati i lunio'r ddeddfwriaeth. Ac mi enillodd barch y Llywodraeth drwy gydweithio â nhw a chyd-awduro y Papur Gwyn rhwng Plaid Cymru a'r Llywodraeth, 'Diogelu Dyfodol Cymru', a gyhoeddwyd yn Ionawr 2017. Hwn oedd polisi ôl-refferendwm Brecsit Llywodraeth Cymru, ac mi oedd Steffan Lewis, o fewn cwta chwe mis i'w ethol ac o feinciau gwrthblaid, wedi cyd-awduro'r polisi. Mae'n amheus iawn gen i a gafodd unrhyw wleidydd arall ddylanwad mor fawr, mor gyflym, mewn unrhyw Senedd arall yn y byd. Y prif reswm dros lwyddiant dylanwad Steffan Lewis AC oedd y parch arbennig a ddatblygodd rhyngddo ef a Mark Drakeford AC. Dyma ddau wleidydd gyda'r gallu a'r dymuniad i blethu dau safbwynt a chreu un weledigaeth at ddiben cyffredin. Mae geiriau Ifor ap Glyn yn ei gerdd, 'Y Tŷ Hwn', i gyfarch y Pumed Cynulliad yn 2016, yn disgrifio i'r dim y cyfuniad o weledigaeth ac ymarferoldeb a nodweddai Steffan Lewis:

> Down yma, i gyffwrdd â'r gorwel
> a'i blygu at iws gwlad.

Mi gyffyrddodd Steffan â'r gorwel a phlygu hwnnw at iws ei wlad.

O fewn y flwyddyn, roedd Llywodraeth Cymru wedi cytuno i fabwysiadu a chyflwyno Bil Parhad i Gymru. Ond nid oedd dylanwad Steffan wedi'i gyfyngu i Gymru: erbyn hyn roedd hefyd wedi dylanwadu ar yr SNP a'r Llywodraeth yn yr Alban i gyflwyno eu fersiwn hwythau o'r Bil Parhad.

Ar 7 Mawrth 2018 cyflwynwyd y Bil yn y Senedd o dan yr enw Bil Cyfraith sy'n deillio o'r Undeb Ewropeaidd (Cymru) 2018 ac fe basiwyd y Bil hwnnw'n llawn gan y Cynulliad ar 21 Mawrth 2018. Roeddwn i, yn fy rôl fel Llywydd, wedi datgan bod y ddeddfwriaeth hon o fewn cymhwysedd y Cynulliad tra bod Llywydd Senedd yr Alban, Ken Mackintosh MSP, wedi dyfarnu bod Bil Llywodraeth yr SNP y tu allan i gymhwysedd deddfwriaethol Senedd yr Alban. Cyfeiriwyd y ddau ddarn o ddeddfwriaeth i'r Goruchaf Lys gan Senedd San Steffan ar 18 Ebrill.

Roedd hyn oll yn torri tir newydd yng ngwleidyddiaeth gyfansoddiadol gwledydd y Deyrnas Gyfunol. Ac er ei fod erbyn hynny yng nghrafangau'r canser, roedd Steffan yn dal i wneud ei farc ac yn cyfrannu'n adeiladol at bob dadl ar lawr y Senedd. Weithiau, wrth lywyddu, mi fyddwn i'n ei wylio'n siarad ar lawr y Siambr yn ddewr a thawel-ddeifiol, ac yn gwingo mewn poen wrth dynnu i derfyn a chymryd ei sedd. Mi dorrodd yr olygfa honno fy nghalon sawl tro.

Fodd bynnag, er y cydweithio agos rhwng Steffan a Llywodraeth Cymru wrth gyflwyno a chymeradwyo'r Ddeddf Parhad, cael ei siomi yn y diwedd a wnaeth pan gyhoeddodd Prif Weinidog Cymru y byddai'r Llywodraeth yn diddymu'r ddeddf ar ôl cyrraedd cytundeb rhyng-lywodraethol gyda Llywodraeth Prydain ar y Bil Ymadael o'r Undeb Ewropeaidd ar 25 Ebrill. Gwrthododd Llywodraeth yr Alban ddod i gytundeb gan barhau i ddadlau'r achos cyfansoddiadol yn y Goruchaf Lys.

Ar 20 Tachwedd 2018, pleidleisiodd y Cynulliad i ddiddymu'r Ddeddf Parhad a dim ond Plaid Cymru a bleidleisiodd yn erbyn y cam. Yn ystod y ddadl, cloriannodd Steffan Lewis wleidyddiaeth y foment drwy ddweud:

Drwy bleidleisio gydag UKIP a'r Ceidwadwyr, mae gweithredoedd y Blaid Lafur yn braenaru'r tir ar gyfer Brecsit caled Ceidwadol – rhywbeth y bydd rhaid iddynt gyfiawnhau i'w cefnogwyr.

Gwnaeth Steffan Lewis AC ei gyfraniad olaf ar lawr y Cynulliad ar 4 Rhagfyr 2018, ychydig dros ddwy flynedd a hanner ar ôl ei ethol. Unwaith eto cyfraniad ar effaith Brecsit ar Gymru oedd hwn, yn amlinellu ei ddymuniad i weld Brecsit (o gael Brecsit o gwbwl) a fyddai'n cadw'r Deyrnas Gyfunol a Chymru o fewn y farchnad sengl a'r undeb tollau ac yn rhoi sicrwydd cadarn o ran hawliau gweithwyr, hawliau dynol, deddfwriaeth cydraddoldeb a hawliau holl ddinasyddion yr Undeb Ewropeaidd.

Ar y pryd, rwy'n siŵr nad oedd Steffan yn meddwl taw hwn fyddai ei gyfraniad olaf. Dirywiodd ei iechyd yn enbyd dros y Nadolig, ond er hynny ei ddymuniad taer oedd gwneud un datganiad terfynol yn y Cynulliad. Pan sylweddolodd na fyddai'n medru cyflawni hynny, mi ddechreuodd siarad am recordio datganiad fideo o'i wely yn yr ysbyty a'i gyflwyno i'r Siambr. Rhoddwyd paratoadau ar waith i ganiatáu i hynny ddigwydd, ond roedd y canser wedi cydio'n rhy gyflym yn Steffan. Ni chafodd ei ddymuniad i drosglwyddo ei neges olaf i'w genedl, er iddo lwyddo i gael cyfle i drosglwyddo'r neges honno i Arweinydd ei blaid, Adam Price, wrth i Adam fynd i'w weld yn ei ddyddiau olaf.

Nid oedd arnom angen neges olaf gan Steffan, oherwydd roedd ei weledigaeth a'i neges yn glir fel y grisial gydol ei fywyd byr. Ei freuddwyd o Gymru rydd; gwlad yn cymryd ei lle wrth fwrdd cenhedloedd y byd. Roedd Steffan Lewis yn gadarn ei ffydd y medrai Cymru gyflawni hyn a bydd cadernid ei ffydd yn ysbrydoliaeth barhaus i ni oll.

Elin Jones AC
Hydref 2019

Liked by All

Respect is a rare thing in politics. It's even rarer to find a politician who is respected across different parties and whose words are listened to by all.

Steffan Lewis was such a politician. He was elected to the Assembly in 2016 and very quickly established a reputation for thoroughness, knowledge and approachability. He understood that politics can be brutal, but saw no reason not to work with others when there was a common goal.

One such example was the issue of Brexit. He displayed an originality of thought which caused others to think deeply. I believe he was the first AM to suggest the possibility of a Continuity Bill, which subsequently became law. He rarely looked to score points but instead wanted government to listen to ideas and was always ready to scrutinize government viewpoints that he was sceptical of.

It's difficult to believe that Steffan was a member of the Assembly for such a short time, because his contribution was huge. He was driven above all, to serve his country in the way that he saw best.

It's right to say that Steffan was liked by all. He was a proud member of Plaid Cymru and first addressed a Plaid Cymru conference at the age of fourteen. For a young man to have the confidence at that age to make such a speech was remarkable. He had, of course, strongly held principles but was always ready to work with others when he felt it was for the good of the nation. Many politicians would aspire to do that, but Steffan didn't just aspire, he practised it as well.

His contribution to the debate on Brexit was invaluable and, when asked in a documentary which politicians I respected in other parties he was one of the names I mentioned. There was no doubt in my mind that he would have served his party and his country well for many years.

We know of course that, cruelly, he didn't get that chance. Before he was diagnosed, he sometimes complained to me that he was going grey at a young age. I assured him that I was even greyer at his age and anyway, it was a good career move for a politician because it conveyed gravitas. It's fair to say that he was unconvinced.

Then of course, there was that great shock of learning that he had an advanced cancer. He knew that the prognosis wasn't good and he shared this with me. He knew that my wife had gone through cancer and that she worked for Macmillan. There would of course have been some dark times for him as he received treatment but that was never apparent to those of us in Cardiff Bay. He worked when he was able to do so and was determined to live with the cancer and use his life to raise money in the fight against the disease. Many of us remember the fundraising he did for Velindre. Despite the fight that he faced, he was an inspiration to others. There are very few people who have the resolve and strength to throw themselves in to a fundraising campaign while going through treatment and discomfort.

Steffan will of course be missed by all in his family, but he will also be missed by all of us who knew how much he gave, and how much he had left to give.

Carwyn Jones AM
November 2019

Cyfweliad Steffan Lewis
ar *Beti a'i Phobol*

BBC Radio Cymru, Rhagfyr 2018

BETI – Croeso cynnes at y cwmni, ac mae'n ŵr ifanc arbennig iawn, roedd hynny'n amlwg pan gafodd ei ethol yn aelod Plaid Cymru dros ddwyrain de Cymru yn 2016, yr aelod ifanca ar y pryd, fe naeth ei farc yn syth a phobol yn ei weld fel arweinydd ei blaid yn y dyfodol. Fe yw llefarydd y Blaid ar Brecsit ond mae ganddo rwbeth pwysicach o lawer i feddwl amdano sef ei iechyd ei hun. Flwyddyn yn ôl fe gafodd wybod bod ganddo ganser y coluddyn, a hwnnw yn ei bedwerydd cyfnod wedi lledaenu i rannau eraill o'r corff. Ond mae'n dal i weithio ac mae ei glywed yn dadlau yn y siambr yn ysbrydoliaeth i ni gyd. Croeso cynnes i Steffan Lewis.

STEFF – Diolch yn fawr iawn.

BETI – Steff mae pawb yn eich galw chi?

STEFF – 'Na ni, ie.

BETI – Wi'n meddwl am wleidyddion, dy'n nhw ddim yn bobologaidd iawn y dyddiau yma, ond y'ch chi 'di cael cefnogaeth ganddyn nhw gyd, yn dy'ch chi, ar draws y pleidiau i gyd. Ma hynny'n peth braf i'w weld?

STEFF – Rhaid dweud amser hyn flwyddyn dwetha, pan ges i'r newyddion ofnadw ac es i'n gyhoeddus, roedd yn gymaint o hwb cael negesueon, llythyrau, cardiau trwy'r post gan aelodau pob plaid, dim plaid o gwbl, aelodau o'r cyhoedd, jyst eisiau cysylltu a cynnig eu cariad a'u cefnogaeth, ma hynna wedi bod yn arbennig. A hyd yn oed nawr ar ôl bod yn sâl am dros flwyddyn dwi'n dal i gael neges wrth bobol fan hyn a fan draw pob wythnos yn tsiecio sut ydw i'n neud, a rhaid i mi ddweud drwy'r holl brofiad yma o ganser, un o'r pethau fi heb deimlo yw'r unigrwydd ac o'n i wastad yn amheus iawn ynglŷn â hwnne achos o'n i'n disgwyl bydden i yn teimlo'n unig, a falle byddai iselder yn dod o ganlyniad, a'r ffaith bod gen i cymaint o rwydwaith cefnogol yn y gwaith a gyda'r teulu, mae 'di bod yn ganolog i bopeth i fi 'di llwyddo i neud ers y diagnosis.

BETI – Ac o'ch chi'n benderfynol o'r dechre i fod yn gwbl agored ynglŷn ag e, achos chy'mod be, rhyw 40 mlynedd yn ôl 'se neb yn siarad amdano fe, yn sibrwd y peth bod 'da chi ganser, ond erbyn hyn ma pobol yn siarad am e, diolch byth.

STEFF – Ie, ac am ryw reswm o'n i moyn bod yn agored. Yn y lle cynta fi'n ffindio pob tro dwi'n siarad yn gyhoeddus am fy mhrofiad i, bydd rhywun yn gyrru ebost ata i gan ddeud, darllenais i'r stori, fi'n mynd trwy rwbeth tebyg, ydych chi'n teimlo hyn? Ydi hyn yn digwydd i chi? A fi 'di datblygu perthnasau newydd nawr gyda phobol fi erioed wedi cwrdd â nhw, a ni fel fath o glwb cefnogi'n gilydd. Fi'n meddwl bod hwnna'n rwbeth efo dynion, yn enwedig, lle ni ddim falle yn hoffi siarad lot fawr am ein teimladau ni, ond ni'n neud hynna nawr gyda'n grŵp bach ni. Hefyd fi'n meddwl, gyda canser y coluddyn, ma'n un o'r cansers 'na os chi'n dal e'n gynnar chi'n gallu cael bywyd normal ar ôl y driniaeth a byw bywyd hir a hapus. Os chi'n ca'l o'n hwyr, fel yn sefyllfa fi, ma'r *outlook* yn wahanol iawn. So, fi moyn defnyddio pob cyfle sy gyda fi i ddweud wrth bobol, os chi'n cael y symtomau yna, os oes gwaed pan chi'n mynd i'r tŷ bach, os chi'n orflinedig ac yn y blaen, 'di rwbeth ddim yn iawn, ewch at y meddyg.

BETI – O'ch chi 'di teimlo hynny cyn eich bod chi'n cael y diagnosis?

STEFF – Ond y peth ydi, Beti, pan dwi'n edrych yn ôl nawr, un o'r pethe fi'n teimlo'n euog ynglŷn ag e mewn ffordd, *actually*, yw'r ffaith bod fi ddim wedi cael y symtomau yna, achos dwi ddim yn un o'r rhai sy'n ofn mynd i'r meddyg. Edrych yn ôl nawr alla i ddweud o'n i'n bendant yn orflinedig ond ar y pryd o'n i'n rhoi hynna lawr i weithio oriau hir, a byddech chi ddim yn meddwl yn 33 oed mai blinder sy wedi dod o ganlyniad i ganser oedd hwnnw. Fel fi'n dweud, os faswn i wedi sylwi ar rwbeth bydden i'n bendant wedi mynd, ac yn wir es i at y meddyg bedair neu bum gwaith tan i mi gael y sgan i gadarnhau mai canser oedd gyda fi.

BETI – Achos dyw Cymru ddim yn neud yn dda iawn cyn belled â ma canser y coluddyn yn bod, yn ôl ystadegau a gyhoeddwyd yr wythnos yma fel mae'n digwydd. Hynny yw, ar gyfartaledd mae pobol yn gorfod aros 168 o ddyddie cyn eu bod nhw'n dechre cael triniaeth, ond ma 'ne brofion ar gael sy'n cael eu danfon i bobol, ond pobol dros eu 50 neu rwbeth fel'na?

STEFF – Ie, 50 nawr, yn wreiddiol dros 60 oedd yr oedran. Un o'r pethe sy'n neud fi'n drist iawn yw'r ffaith bod tua 50% o bobol sy'n gymwys i gymryd y sgrinio yma ddim yn cymryd y cyfle, o'n i jyst yn meddwl i'n hunan, ocê, tydi o ddim yn brofiad gwych, ond wir, ma e'n lot gwell na chwe mis o chemotherapy, alla i ddweud.

BETI – Tasech chi wedi cael y prawf yna fasech chi wedi, a 'sen nhw 'di ffeindio'r peth cyn nathon nhw?

STEFF – Ie, bydden nhw siŵr o fod wedi, ond eto mae cyn lleied o bobol yn oedran i yn cael canser y coluddyn. Hyd yn oed nawr pan dwi'n gweld GP *out of hours* achos bod fi'n sâl, ma'n nhw'n edrych ar fy nodiadau i a ma'n nhw'n edrych arna fi a dweud, be, y coluddyn? So, ma fe mor hynod o anlwcus i fod yn onest.

BETI – Ble y'ch chi arni nawr, chi'n cael *chemo* nawr?

STEFF – Na ddim eto, fi 'di cael cwpwl o wythnose eitha siomedig yn anffodus gyda triniaeth. Ges i chew mis o chemotherapi yn wreiddiol, a wedyn yn yr haf es i ar *trial* cyffuriau newydd sbon a bwriad y *trial* oedd i weld os allen nhw stopio'r canser rhag tyfu, ond yn anffodus, tua tair wsnos yn ôl, ges i canlyniad sgan yn dangos bod y canser yn lledu unwaith eto a bod yn lledu i lefydd newydd sbon. So, o ganlyniad i hynny mae'n amlwg bod y *trial* yn aflwyddiannus a nawr bydda i siŵr o fod yn dechre *trial* ar chemotherapi unwaith eto yn y flwyddyn newydd, ond fi'n falch iawn ma *oncologist* fi wedi deud ei bod yn iawn i fi gael cwpwl o fisoedd dros y Nadolig, ac yn y blaen, heb unrhyw driniaeth, jyst i reoli'r boen sy gyda fi a neud pethe mor gyfforddus â phosib. Y'n ni'n mynd i fwynhau'r Nadolig nawr a'r flwyddyn newydd a wedyn bydd rhaid i fi wynebu pa bynnag ornest sydd o mlaen ym mis Ionawr.

BETI – Ie, ma sgileffeithiau *chemo* yn gallu bod yn rhai heger iawn.

STEFF – Oedd e'n brofiad ofnadwy i fi a mae pawb yn ymateb yn wahanol iawn. I fi ar y cychwyn gyda chemotherapi: wel, dyw hyn ddim yn rhy wael, alla i neud hyn, mae cryfder gyda fi. Ond roedd o'n *cumulative* gyda fi, so, tua y mis olaf o'n i mewn sefyllfa lle o'n i'n sâl rhan fwyaf o'r amser, yn hytrach na sâl un neu ddau o ddiwrnode ar ôl y *chemo*. So, yn feddyliol, ar ôl i mi gael newyddion y sgan dwetha o'n i'n meddwl, dydw i ddim yn ddigon cryf i ailddechre *chemo* eto. Oedd angen yr hoe 'na dros y cyfnod yma, yn feddyliol a chorfforol, so, fi'n falch iawn bo tipyn o amser gyda fi nawr.

BETI – Y'ch chi yn gallu rheoli'r boen, ma'n nhw'n rhoi cyffuriau i chi reoli'r boen?

STEFF – Ie, rhaid i fi ddeud bod y tîm yn Felindre yn ARBENNIG o dda, yn cefnogi pob elfen o ofal sydd angen arna i, ac ar yr un pryd yn cydweithio'n agos gyda nyrsus Macmillan a Dewi Sant, a nyrs Dewi Sant sy gyda fi a ma hi'n arbennig. Mae'n ffonio fi bob pythefnos i tsieco mewn. Mae'n newid cyffuriau fi os oes angen, mae'n dod i weld fi yn y tŷ pob mis. Nid pobol sydd jyst yn mynd trwy *routine* yw hyn, pobol sydd wir gyda chalonnau mawr sydd moyn neud gwahaniaeth a ma'n nhw'n bendant yn neud gwahaniaeth mawr i fi bob dydd.

BETI – Ma llond trol o gyffuriau/tabledi chi'n gorfod cymryd, siŵr o fod?

STEFF – Ie, pob bore, fi'n lwcus iawn, bod 'y ngwraig wedi paratoi rhestr o bopeth 'yf fi i fod i gymryd, a wedyn yn y nos wedyn, ma 'ne un neu ddau arall i gymryd, ond, ie, yn y cychwyn cynta yn y bore ma 'ne nifer o dabledi ac ar hyn o bryd y rhan fwya ohonyn nhw'n ymwneud â rheoli poen.

BETI – Ond, Steffan, chi'n dal i weithio, roeddech chi ar

eich traed ddoe yn y Cynulliad, ar lawr y siambr, yn dadlau – ma hynny siŵr o fod yn beth da i chi neud?

STEFF – O, ydi, mae'n hollbwysig i fi fel person penderfynol annibynnol mod i'n gallu. Wel, mae'n siŵr o fod yn rhyw fath o ffordd o ddangos i'r canser bod e ddim yn mynd i guro fi, ddim ym mhob ystyr beth bynnag. Hefyd ma 'ngwaith i yn rhan mor ganolog i'n hunanieth i, alla'i ddim dychmygu fi heb wleidyddiaeth, so mae'r gallu i fynd i'r gwaith a chydweithio gydag eraill a thrio fy ngore glas i wneud gwahaniaeth yn hanfodol i fi, a fi'n cofio ar gychwyn y diagnosis yma, y siwrne yma, Jocelyn Davies, cyn-Aelod Cynulliad ac un o fy ffrindie annwyl i yn dweud wrtha i, 'Paid gadael i'r canser yma ddiffinio ti os allet ti', a roedd hwnne wedi aros gyda fi ac o'n i'n meddwl, ie, mae'n iawn. O'n i ddim am fod yn Steffan Lewis sydd gyda canser, wi am fod yn Steffan Lewis y mab, Steffan Lewis y tad, Steffan Lewis y gŵr, Steffan Lewis y gwleidydd, a fel yna fi wedi ceisio meddwl, pa bynnag anodd mae wedi bod i gario mlaen.

BETI – Y'n ni'n recordio y rhaglen yma cyn bod y pleidleisio ar Brecsit Theresa May yn digwydd yn San Steffan, diwrnod ar ôl i'r Cynulliad drafod. O'dd e'n ddiwrnod lle ro'ch chi'n teimlo eich bod chi 'di ennill brwydr eitha mawr, a dweud y gwir.

STEFF – Wel, o'n i mor falch bod gwelliannau Plaid Cymru, wel, un o welliannau Plaid Cymru, wedi bod yn llwyddiannus a'i fod wedi cael ei gymeradwyo gan y Cynulliad i gyd, a, ty'mod, roedd yn ddiwrnod da iawn i ddatganoli hefyd, a Senedd Cymru yw'r Senedd gynta yn yr ynysoedd yma i wrthod y cytundeb rhwng Theresa May a'r Cyngor Ewropeaidd. Ni hefyd yw'r Senedd gynta yn yr ynysoedd yma sydd wedi dweud ein bod ni eisiau i broses Erthygl 50 gael ei hymestyn. Mae'r ddau beth 'na yn bwysig dros ben a phwysig dros ben i'r Cynulliad fel Senedd fynegi barn ar faterion sy cymaint o bwys, a gyda pethe fel ma'n nhw ar hyn o bryd all San Steffan ddim fforddio anwybyddu safiad y Cynulliad. A rhaid i mi ddweud fi'n gwbod bod e ddim yn ffasiynol iawn y diwrnode yma mewn gwleidyddiaeth, achos ma popeth mor *factional* a *secterian*, ond fi wastad wedi meddwl bod posib ennill dadleuon ac ennill pobol o bleidiau eraill draw i'ch ochor chi os ydech chi'n ddeche, ac ydech chi'n rhoi dadl dda, ac os ydych chi'n gweithio a chydweithio gyda nhw, a dyna o'dd datganoli i fod yn y lle cynta, 'nôl yn 99. O'dd e'n wleidyddiaeth newydd oedd pobol Cymru wedi cefnogi, nid jyst sefydliad newydd, bod ni moyn bod yn wahanol i San Steffan a chreu democratiaeth oedd yn fwy cydweithiol, a nawr ac yn y man 'den ni'n dal gyda'r elfen yna yng Nghymru a dwi'n falch iawn o hynna.

BETI – Y'n ni mynd i glywed y 'Fields of Anthery' a'r Dubliners i ddechre ac fe glywn pam chi 'di dewis hon ar ôl i ni wrando arnyn nhw...

...'The Fields of Athenry' a'r Dubliners. Dewis yr aelod cynulliad Steffan Lewis, pam, 'te, Steffan?

STEFF – Un o ffefrynnau fi yw 'The Fields of Athenry', daeth yn ffefryn yn gloi iawn ar ôl i fi ddarganfod e, o'n i'n neud hanes y teulu blynydde 'nôl nawr.

BETI – Pa ochor i'r teulu?

STEFF – Ochor 'y nhad, ac o'dd 'na sibrydion bod 'na ryw fath o linc gydag Iwerddon gyda ni ac o'n i ishe gweld os oedd hyn yn wir. Ar ôl neud ymchwil am gwpwl o flynydde dyma fi'n darganfod bod teulu o'r enw'r Kennedys wedi gadael Iwerddon yn ystod y newyn mawr, y *Great Famine* – aethon nhw i Lerpwl yn wreiddiol a wedyn lawr i Gaerdydd, nhw yw'n cyswllt ni ag Iwerddon trwy ochor fy nhad, a ddes i yn awyddus iawn i ddeall mwy. Ar yr un pryd o'n i'n dod yn fwy gwleidyddol hefyd, so, o'dd hwnna'n ffitio mewn gyda fy natblygiad personol i, so, o'dd y ffaith fel Celt balch iawn bod 'na linc i Iwerddon, roedd hwnna'n arbennig o bwysig i fi. Dysgais i fwy am hanes Iwerddon a hanes fy nheulu fi fy hunan hefyd.

BETI – Ond mae hi hefyd yn gân i dîm pêl-droed arbennig hefyd, yn dydi?

STEFF – Ydi, wi'n cefnogid tîm pêl-droed Celtic.

BETI – Pam chi'n cefnogi Celtic?

STEFF – Wel, fi ddim yn meddwl o'dd yna ryw fath o

Damascan conversion na dim byd fel'na, fi'n meddwl ar y pryd o'n i yn be ma nhw'n galw'n Saesneg fy *formative years*, des i yn fwy fwy ymwybodol o'm hunanieth i a, fel dwi'n deud, fel Celt hefyd a'r ffaith bod 'na dîm pêl-droed gafodd ei ffurfio gan ffoaduriaid Gwyddelig yn Glasgow, a galwon nhw'r clwb yn The Celtic Football Club er mwyn dod â'r Albanwyr a'r Gwyddelod at ei gilydd, a ma dal gyda nhw amcanion elusennol heddiw hefyd, roedd hwnna'n apelio'n fawr ata i. A ma'r gân yn rhan nawr o'r teulu, o'n i'n canu hon i fy mab Celyn pan oedd yn fabi, a ma fe'n gwylio, neu smalio gwylio gemau pêl-droed gyda fi hefyd ar hyn o bryd.

BETI – Felly o'dd hyn 'di digwydd cyn i chi gwrdd â Shona, 'te? Ma hi'n dod o'r Alban.

STEFF – Ydi, o ogledd yr Alban ma hi – Inverness Caledonian Thistle yw tîm pêl-droed y teulu – o'n i'n ffodus iawn i osgoi hynna!

BETI – Wedyn bu farw eich tad...

STEFF – Do.

BETI – Beth am deulu eich mam? Un o Gwmtawe ydi Gail eich mam, ni 'di chlywed hi ar y cyfryngau yn sôn amdanoch chi a'r ergyd anferthol gafodd hi hefyd, wrth gwrs, pan gawsoch chi'r diagnosis. A ma hi yn deud ei bod hi 'di cael ei hebrwng i dwnnel tywyll iawn, ond yn benderfynol o fwrw mlaen a bod yn gefn ichi.

STEFF – Ia, mae wedi bod, ma'r teulu wedi bod yn arbennig o dda, jyst, ma'r gefnogaeth wedi bod yn arbennig, gyda ochor fy nhad, a gyda ochor fy mam, pan o'n i 'di bod yn neud hanes teulu ma lot o bethe wedi bod yn neud synnwyr. Ar ochor Mam, o'dd ei thad hi yn löwr, gweithio tan ddaear, aelod o'r Blaid Lafur, aelod brwd iawn o'r undeb llafur yr NUM hefyd, so ar ei hochor hi roedd yn *fusion* rhwng Cymreictod, yr iaith Gymraeg, iaith gyntaf y teulu a'r diwydiant a gwleidyddiaeth sosialaeth ar yr un llaw a wedyn ar ochor 'y nhad roedd yr elfen Geltaidd 'ma hefyd, so, o'dd yr holl beth, fi'n meddwl, jyst yn neud synnwyr wedyn 'ny mod i wedi troi mas fel bo fi.

BETI – A Nia eich chwaer, ni wedi'i gweld hi yn gefnogol

iawn, wedi trefnu'r daith gerdded 'na, y'ch chi'n agos iawn ati hi. Roedd hi'n dweud amdanoch chi'n mynd o gwmpas Cymru gyda hi yn dangos y cestyll a hyn a'r llall.

STEFF – Dyna'r un o'r manteision o gael gap, mae'n rhaid mod i'n 15–16 oed pan gafodd Nia ei geni. Brawd mawr iawn o'n i, so, o'n i'n joio gwylio Nia yn tyfu lan, o'n i'n mynd â hi o amgylch cestyll Cymru, dwi'm yn siŵr faint oedd hi'n mwynhau ond mae'n deud bod hi wedi.

BETI – Mae'n cofio.

STEFF – Ie, mae'n cofio.

BETI – Oes 'da chi chi frodyr a chwiorydd erill wedyn?

STEFF – O's, ma 'da fi frodyr a chwaer arall hefyd. Ma Siân fy chwaer arall wedi bod yn gysur enfawr i fi hefyd, wrth gwrs. Ma'r ffaith ein bod ni wedi cael ein magu gyda'n gilydd, dim ond llai na dwy flynedd sydd rhwng fi a Sian, so y'n ni'n agos iawn hefyd a ma babi bach gyda hi hefyd, so, ma bond amlwg rhyngddon ni trwyddo fe hefyd sydd yn sbesial iawn i ni.

BETI – Beth oedd iaith yr aelwyd, Cymraeg oedd iaith yr aelwyd?

STEFF – Wel, ie, do'dd 'y nhad na'n llysdad i ddim yn siarad Cymraeg, ond ie, Cymraeg, wel, o'dd e'n ddwyieithog i fod yn onest. O'dd e'n fath o amgylchedd lle o'n i ddim yn meddwl am yr iaith o'n i'n siarad. Os o'n i'n siarad gyda Mam o'n i'n siarad Cymraeg, os o'n i'n siarad gyda 'nhad, wel, Saesneg o'dd hwnna, so o'dd e jyst yn rwbeth o'dd yn –

BETI – Naturiol.

STEFF – Ie, naturiol iawn.

BETI – Wedyn Ysgol Gyfun Gymraeg Gwynllyw, hynny yw ma'r Gymraeg yn bwysig ichi, on'd yw hi?

STEFF – Odi, mae'n od, achos fi'n teimlo fel Cymro Cymraeg, mod i yn y tent Cymro Cymraeg 'na a gan mod i'n dod o ran o Gymru sydd mor ddi-Gymraeg fi'n gallu uniaethu gyda phobol sydd yn ddi-Gymraeg ar yr un pryd, so, mae'n ddiddorol iawn. Fi wastad yn dweud bod Gwent yn tipyn bach fel Ulster Cymru, y'n ni'n cadw gweddill y genedl yn onest iawn, yn real iawn, a fi'n meddwl bod 'na elfen o hwnne yn fy hunaniaeth i. Pan o'n i'n yr ysgol gynradd, o'dd dim ysgolion cynradd Cymraeg i gael yn Gwent, o'dd 'ne unedau Cymraeg i gael o'dd yn rhan o ysgolion cyfrwng Saesneg. Roedd yr un amser cinio a'r un amser chware gyda ni a o'dd 'na un bachgen oedd yn mynd i'r ysgol gyfrwng Saesneg a o'dd e moyn chwarae pêl-droed, a fi'n cofio rhywun yn deud, wel, shwt y'n ni'n mynd i bigo timoedd? A wedodd e 'us against the Welshies' a o'n i mor flin achos o'n i'n meddwl, wel, ti'n Welshie 'fyd, ond achos bod e ddim gyda'r iaith o'dd e yn ei feddwl e wedi rhoi ei Gymreictod e yn is na Nghymreictod i. O'dd hwnna'n dorcalonnus, a dyna pam yn fy meddwl i dylai pawb gael y cyfle i fod yn ddwyieithog yng Nghymru. Ddylai neb deimlo fel'na.

BETI – Ond ydi'r teimlad yma gan rai bod Plaid Cymru yn blaid i Gymry Cymraeg? Ydi hwn dal i fod?

STEFF – Mae'n dal i fodoli ym mhocedi o Gymru, fi'n meddwl, yn ddibynnol ar os oes 'na bresenoldeb Plaid Cymru ar y cyngor lleol neu beth bynnag. So, ellwch chi weld yn ardaloedd o'r de ddwyrain, lle fi'n byw, er enghraifft, yn ardaloedd rhannau o Gaerffili, ma 'na wastad wedi bod presenoldeb Plaid Cymru a ma pobol yna yn ymwybodol mai plaid y'n ni ar gyfer pawb yng Nghymru, ond wedyn os ewch i rannau o Ferthyr neu Sir Fynwy, Casnewydd, bydd pobol yna ddim wedi gael unrhyw gyswllt gyda'r Blaid yn uniongyrchol yna o'r blaen ac felly'n cymryd yn ganiataol mai plaid ar gyfer pobol Gymraeg eu iaith yn unig ydan ni a ma hynna'n rhywbeth all ond gael ei ddatrys, yn fy marn i, gan wleidyddiaeth gymunedol.

BETI – Fe ymunoch chi â'r Blaid yn ifanc iawn. O'ch chi'n annerch mewn cynhadledd yn 14 oed.

STEFF – Ie.

BETI – Ie, pwy arall nath hynny nawr? Os dwi'n cofio'n iawn?

STEFF – Beth oedd ei oedran e, un ar bymtheg oed?

BETI – Mr Hague, William Hague, yndyfe?

STEFF – Ie, *late bloomer* oedd e.

BETI – Felly o'ch chi wedi cael eich tanio. Pwy daniodd y diddordeb yma?

STEFF – Wel, wi ddim yn siŵr os o'dd 'na 'pwy', o'dd e jyst yn rhywbeth ddaeth yn naturiol. O'dd 'na ddim moment lle o'n i wedi penderfynu, wel, dyma be fi moyn neud yn bendant, o'n i yn amlwg yn dod o deulu lle o'dd gwleidyddiaeth yn cael ei thrafod.

BETI – Mi o'dd, o'dd e?

STEFF – Ie, yn ddyddiol, a rhaid i fi ddeud, un o'r pethe o'n i'n ffodus iawn o'dd, os nad o'dd gen fy rhieni'r atebion i'r cwestiynau anodd o'n i'n gofyn fel crwtyn ifanc, o'n nhw'n help mawr i fi sgwennu at y bobol gyda'r atebion. Fi'n cofio Mam yn rhoi teipiadur i fi yn ifanc iawn a fi'n sgwennu at Dafydd Wigley pan o'n i'n un ar ddeg mlwydd o'd yn gofyn cwestiynau iddo fe. Wi ddim yn siŵr beth oedd y dyn post yn feddwl pan oedd yn cael yr amlenni 'ma gyda House Of Commons arnyn nhw trwy'r amser a siŵr o fod o'dd Dafydd Wigley wedi cael llond bola arno fi'n sgwennu ato fe.

BETI – Wi ddim yn meddwl.

STEFF – Wel, pwy a ŵyr? Rhaid i fi ofyn wrtho fe. So o'dd hwnna yn digwydd ar pryd, so o'n i'n neud prentisiaeth answyddogol gwleidyddol yn ifanc iawn a wedyn fi'n meddwl fy nhad aeth â fi i 'nghyfarfod Plaid Cymru cynta lleol. Fi'n cofio dadlau enfawr, soi'n hyd yn oed yn cofio am beth oedd y dadlau, ond wi'n cofio meddwl, wow, ma hyn yn *brilliant*, ma oedolion yn siarad fel hyn gyda'i gilydd. Ac o'n i'n meddwl, ie, fi'n moyn bod yn rhan o hyn.

BETI – Chi 'di dewis Tebot Piws a 'Blaenau Ffestiniog' – pam, 'te?

STEFF – Wel, ma hyn gyda linc gwleidyddol a chariadus hefyd achos 2006 oedd blwyddyn is-etholiad Blaenau Gwent a'r tro cynta i fi erioed sefyll mewn etholiad, ond y flwyddyn hefyd y cwrddais i â'r fenyw sy nawr yn wraig i mi, ac, ym, gyda fi pob diwrnod ar y *campaign trail* ac hi o'dd 'yn gariad i fi ar y pryd, Shona. Wrth gwrs o'n i jyst yn un ar hugain oed, ddim lot o arian gyda fi, so, o'n i'n benthyg car 'y mam. Fi'n cofio o'n i'n Brynmawr, wi'n meddwl, un diwrnod a Shona yn deud wrtha i, 'Shall we put some music on?' – Ie, ie ma 'ne caset fanna, rho hwnna mlaen, a Tebot Piws caset fy mam o'dd e, y gân 'ma am Blaenau Ffestiniog, a pan o'n i'n esbonio ac yn cyfieithu i Shona o'dd hi'n meddwl bod hyn yn ffantastic ond yn siomedig iawn bod Blaenau Ffestiniog ddim yn rhyw fath o metropolis, achos oedd y gân yn creu'r argraff mai metropolis canol y byd yw Blaenau Ffestiniog, so, dyna pam bod 'Blaenau Ffestiniog' wastad yn dod â gwên i ngwyneb fi.

BETI – Y Tebot Piws. Ma'r cwmni heddi, Steffan Lewis, yn cofio chwarae honna yn y car pan roedd yn un ar hugain ac yn ymgyrchu fel ymgeisydd Plaid Cymru yn is-etholiad Blaenau Gwent a Shona ei ddarpar wraig yn methu credu ei chlustie. Faint fuodd hi wedyn cyn eich bod chi'n priodi?

STEFF – Erm, tair mlynedd yn ddiweddarach wedyn 'ny.

BETI – O, ife – a wedyn Celyn yn dod wrth gwrs a ma Celyn yn bedair oed?

STEFF – Tair oed.

BETI – Tair oed, ie, ie. Oedd Shona yn deall eich gwleidyddiaeth chi?

STEFF – O ie, ie. Fyddech chi ddim yn synnu i glywed daeth hynna lan yn gynnar iawn ac yn ddiddorol hefyd i weld cymaint ma'i gwlad hi wedi newid ers i ni gwrdd hefyd. O'dd yr SNP jyst yn wrthblaid ar y pryd a nawr ma cymaint wedi newid lan yn yr Alban hefyd. So ma 'di bod yn ddiddorol gwylio hwnna fel rhywun sy'n ymweld â'r wlad yn amal iawn.

BETI – O Ysgol Gwynllyw i Brifysgol Morgannwg, graddio mewn hanes diwydiannol. Ai gyrfa wleidyddol oedd hi'n mynd i fod, beth bynnag oedd yn digwydd?

STEFF – Ie, ie.

BETI – Ddim isho bod yn athro neu ddim byd boring fel'na?

STEFF – Na, o'n i wedi ystyried falle dylwn ni gael profiad gwahanol ond mae gwleidyddiaeth yn rhywbeth, os chi'n cael cyfle chi, ma rhaid i chi fynd amdani, wi'n meddwl, ac o'n i'n ffodus iawn i gael cyfle i weithio dros wleidyddion penigamp cyn dod yn wleidydd 'yn hunan a dysgu lot fawr fawr, a hynny sy wedi gwneud fi yn wleidydd llawer mwy effeithiol. So, o'n i ddim jyst wedi mynd o brifysgol i fod yn wleidydd. Ges i brofiad pwysig iawn yn gweithio dros wleidyddion cyn hynna hefyd.

BETI – Fuoch chi'n gynghorydd y Coed-duon, ie, cynghorydd tref, hynny yw? Faint o bleidwyr oedd ar y cyngor hynny?

STEFF – Wi'n meddwl ar y pryd mai Plaid Cymru oedd yn rheoli'r cyngor tref.

BETI – Ife wir?

STEFF – Ie. O'n i ddim yn aelod o'r cyngor tref yn hir iawn, ond mae'n un o'r cynghorau tref 'na sy'n newid rhwng Plaid Cymru a Llafur yn y Cymoedd yn weddol reolaidd.

BETI – A wedyn 'ny, yn 2016, dyma chi'n cael eich hethol i'r Cynulliad, yr aelod ieuengaf ar y pryd, rhanbarth dwyrain de Cymru – anferth, yn dyw e?

STEFF – Ydi, mae e'n anferth a pan fi'n siarad ag aelodau rhanbarthol eraill, wel, edrychwch ar y map ac edrychwch ar ranbarth gorllewin a chanolbarth Cymru sy'n cynnwys Penllyn a Llanelli a Powys, a ma jyst yn ofnadw, wi'n meddwl bod mwy a mwy o bobol yn sylweddoli bod angen i'r map a'r ffordd ni'n ethol aelodau Cynulliad newid.

BETI – A chael mwy o aelodau.

STEFF – Mae bendant angen mwy o aelodau arnom ni. Y'ni wrth ein *capacity*, os nad dros *capacity* yn nhermau y gallu i scriwtineiddio yn effeithiol a neud ein swyddi ni yn effeithiol nawr gyda'r pwerau newydd sy gyda ni. Mae angen mwy o aelodau Cynulliad ond dwi'n gobeithio'n fawr iawn gewn ni system synhwyrol sydd ddim yn cynnwys rhanbarthau sydd ddim yn meddwl dim byd i neb beth bynnag. Beth yw de ddwyrain Cymru neu dwyrain de Cymru neu beth bynnag? I'r rhan fwyaf o bobol ma'n rhaid i ni feddwl am y cyswllt personol rhwng yr etholwr a'r gymuned, a'r aelod a'r Cynulliad.

BETI – Wrth gwrs, y'ch chi'n cynrychioli un o ardaloedd mwya difreintiedig... Ewrop?

STEFF – Ie.

BETI – Erm, Blaenau Gwent, ynde – chy'mod, sut ma pobol yn byw o ddydd i ddydd mewn ardal fel'na?

STEFF – Mae'n anhygoel i fod yn onest. A'r gwir amdani gyda chymaint o gefnogaeth o'r gymuned leol ac elusennau lleol. Fi 'di bod i fanciau bwyd yn yr ardal a ddim yn gallu credu be fi'n gweld, ac es i ddwy flynedd yn ôl jyst cyn i wyliau haf yr ysgol gychywn, ac o'n nhw'n paratoi, yn benderfynol iawn ar y pryd, achos o'n nhw'n disgwyl i deuluoedd gyda phlant ysgol ddod i mewn yn eu cannoedd a'u miloedd achos bod nhw ddim yn cael pryd o fwyd yn yr ysgol ar y diwrnodau yna trwy'r haf, ac mae'n dorcalonnus. A dwi'n meddwl mai un o'r rhesymau pam mai cenedlatholwr ydw i ac yn aelod o Blaid Cymru yw mod i ddim yn meddwl bod y wleidyddiaeth Brydeinig wedi'i sefydlu mewn ffordd lle mae cydraddoldeb economaidd na gwleidyddol na chymdeithasol yn bosib. Shwt ellwch chi gael gwladwriaeth lle mae Llunden ar yr un llaw, a wedyn 'ny o fewn dwy awr lawr yr hewl ma llefydd fel Glyn Ebwy, Merthyr Tydful, Tredegar? Dyw hwnna ddim yn digwydd ar ddamwain.

BETI – Be sy angen, 'te? Oes angen chwyldro, Steffan?

STEFF – Wel, fi ddim o blaid chwyldro treisiol, rhaid i fi dweud. Be fi'n meddwl sy'n bosib yw cael chwyldro meddyliol fel cenedl, ffindo'r hunanhyder 'na oedd gyda ni falle 20 mlynedd yn ôl a neud y penderfyniad bod ni ddim am fod yn *victims* bellach, bod e ddim yn fai pawb arall trwy'r amser, bod ni'n gallu cymryd cyfrifoldeb dros faterion ein hunan a thrwy gydweithio gydag eraill gallwn ni adeiladu economi deg a ffyniannus yma yng Nghymru. Wi'n benderfynol allen ni neud e. Ma gwledydd bychain o'n hamgylch ni yn Ewrop sydd yn llwyddiannus, pam na ellwn ni fod yn llwyddiannus hefyd?

BETI – Setloch chi i lawr yn y Cynulliad yn weddol gloi?

STEFF – Gweddol gloi, rhaid i mi ddeud ar ôl i fi gael fy ethol, ac o'n i'n ishte yn y siambr 'ne, o'n i'n nerfus dros ben, o'n i'n crynu.

BETI – Pam?

STEFF – Fi ddim yn gwbod, fi'n meddwl jyst y ffaith mod

i 'di cyrraedd, mod i 'di cael fy ethol, o'dd jyst ishte yna fel aelod o Senedd Cymru jyst yn meddwl cymaint. O'n i'n becso yn fawr iawn ynglŷn â'n cwestiwn neu'n araith gynta i a dyma fi'n gweld Alun Davies, wi'n meddwl, aelod llafur dros Blaenau Gwent, a dyma fe'n dweud wrtha i, 'Jyst gair bach o gyngor', wedodd e, 'pan ti'n cael y cyfle i siarad, jyst gna fe, ca'l e mas o'r ffordd cyn gynted â phosib a byddi'n di'n *fine* ar ôl 'ny'. Ac o'dd e'n iawn, so, o'n i 'di chwilio am y cyfle cynta i siarad, a o'n i'n teimlo lot yn gwell ar ôl hynny, roedd e mas o'r ffordd. Ond ma'r Cynulliad, mae fel pob senedd, ond chi ddim falle yn teimlo fe wrth wylio fe, achos y ffordd ma'r *acoustics* yn y siambr, ond ma'n un o'r llefydd 'ne lle os yw aelodau wedi cael llond bola ar glywed eich llais chi, allwch chi glywed nhw, ma'n lle beirniadol iawn. Dwi'n meddwl bod rhyw fath o ddelwedd o'r Cynulliad bod e'n lle hapus a chyfeillgar, fel arfer mae'n lle cwrtais iawn ond mae'n senedd go iawn ac mae'n gallu bod yn eitha *rough* ar brydiau.

BETI – Ond dyw e ddim fel mae dyn yn gweld y dadleuon yn San Steffan weithiau, ac yn meddwl, o, ma'r rhain fel plant!

STEFF – Yn lwcus iawn ni ddim yn ca'l nonsens fel'na yn rheolaidd iawn ac i ddweud y gwir, fel o'n i'n sôn gynne, yr holl bwrpas o gael senedd yng Nghymru, a Chynulliad Cenedlaethol i Gymru, o'dd nid i jyst gael sefydliad newydd ond i gael gwleidyddiaeth newydd. Ac, ocê, falle ar brydie yn y dyddie cynnar aethon ni rhy bell y ffordd arall. Falle o'n ni'n rhy gyfeillgar, enwau cyntaf ar hyd y siambr ac yn y blaen, ond fi'n meddwl ble y'n ni nawr mae'n lle lot gwell a ma safon y dadlau yn y Cynulliad yn well nag yn San Steffan y rhan fwyaf o'r amser achos bod pobol yn ddifrifol. Ellwch chi weld yn y siambr y bobol sy'n cymryd rhan mewn dadleuon, ma nhw'n bobol ddifrifol iawn gydag arbenigedd, sydd ishe bod yna a sydd ishe cyfrannu, yn bendant.

BETI – Ych record nesa, ma'n rhaid i mi ddeud bod eich dewis wedi fy synnu a deud y gwir, y Zombie Nation. Dech chi ddim yn galw'r genedl yn Zombie Nation y'ch chi nawr?

STEFF – Weeel, dim ond ar brydie – na, wrth gwrs, cefndir

y gân yma, nid cân... y tiwn yma, un o uchafbwyntiau 'y mywyd i o'dd gallu mynd mas i Ffrainc am yr un gêm i weld Cymru ym Mhencampwriaeth Ewro 2016. Roedd y gân yma yn rhan ganolog i hwyl a sbri cefnogwyr Cymru yn ystod y bencampwriaeth a chyn y bencampwriaeth hefyd.

BETI – Zombie Nation a 'Kernkraft 400', gyda llaw, ydi enw'r gân yna, un o'r caneuon oedd yn boblogaidd 'da chefnogwyr pêl-droed Cymru yn yr Ewros, ac a'r cwmni heddi, AC Steffan Lewis, yn amlwg yn hip, Steffan?

STEFF – Wel, o'dd neb yn disgrifio fi fel'na, Beti, ond diolch i chi am wneud.

BETI – A wedyn yn 2017 a chithe'n cael y newyddion ofnadw yma, ynde, shwt o'ch chi'n delio â'r peth i ddechre?

STEFF – O'dd y cyfarfod gwreiddiol gyda'r *consultant* yn un... wi ddim yn cofio lot amdano fe i ddweud y gwir, o'n i yn Ysbyty Gwent, Casnewydd, a'r newyddion cyntaf bod canser y coluddyn gyda fi, olreit, ocê, a wedyn 'ny newyddion mai cyfnod pedwar, bod 'na ddim siawns, yn eu barn nhw, o iachâd o'r canser a bod e wedi lledu i'r afu, ac ar y pryd o'n i mewn cymaint o sioc o'n i ddim wir yn gwbod beth i neud. Wi'n cofio ffonio cyd-aelodau o'r Cynulliad i adael iddyn nhw wybod beth oedd yn digwydd ac yn amlwg y teulu, a wedyn cyn bo chi'n gallu cael cyfle i brosesu'r peth, yn sydyn ma bywyd yn newid yn fawr iawn ac mae'n troi mewn i gyfres o apwyntiadau. A mewn ffordd fi'n falch, achos o'dd yr apwyntiadau yna yn cadw fi'n fishi dros ben. Wi ddim yn siŵr shwt fydden i wedi delio gyda'r sefyllfa yna oni bai am y ffaith bod apwyntiadau yn dod trwy'r post bob yn ail diwrnod, a'r peth yw hefyd o'n i'n anlwcus dros ben, yn fuan ar ôl y diagnosis, lle oedd y canser yn gwaethygu yn y coluddyn ac es i 'nôl i mewn i'r Gwent chydig wythnose ar ôl y diagnosis a dyma'r *consultant* yn deud wrtha i, 'I'm operating on you tonight'. Daeth e off *leave* blynyddol achos mod i mewn sefyllfa mor ddifrifol. So, dreulies i ddiwrnod Dolig a diwrnod San Steffan yn yr ysbyty a wedyn 'ny o'n i'n dechre cryfhau tipyn bach, es i nôl i'r gwaith am tipyn. I fod yn onest fi'n edrych 'nôl nawr, ac o'n i'n meddwl sai'n siŵr os mai *in denial* oeddwn i neu beth o'dd hi, o'n i jyst yn meddwl os dwi jyst yn gallu dechre ar driniaeth yna pwy a ŵyr bod siawns i fi, a wedyn 'ny es i'n sâl eto. O'n i fod dechre chemotherapi ym Merthyr, troes i'n sâl, roedd sepsis arna i, ddaru'r afu ddechre methu, ac o'n i yn ysbyty ym Merthyr, wedyn ges i *transfer* yn gefn ambiwlans lawr i Felindre. Ella'i ddim cofio nawr faint o'n i'n Felindre, ond wythnose rhaid bod, ond dechreuais i'r chemo tra o'n i yna, ac ar ôl 'ny o'n i'n dechre, achos wedodd yr Oncolegydd wrtho i ar y pryd pan o'n i yn Felindre, 'Look, if I were you I'd write your letters now'.

BETI – Felly oedd y diwedd yn agos?

STEFF – Ie, ac o'n i'n meddwl wel, ocê, 'na'i neud 'ny ond fi'n dal i feddwl os ella'i jyst dechre ar y chemo bydd 'na siawns, a lwcus i fi, dechreuais i ar y chemo a o'n i wedi ymateb yn dda iawn i'r chemo. O'dd hwnna'n bendant wedi rhoi ail gyfle i fi ond o'n nhw i gyd ar y pryd yn Felindre yn meddwl mai mater o ddyddie o'dd gyda fi.

BETI – Ac, wrth gwrs, yr holl fusnes o ymosod ar yr urddas hefyd, yndyfe, urddas unigolyn, shwt ydach chi'n delio â hwnnw?

STEFF – Roedd hwnna'n anodd dros ben i fi, yn enwedig fel rhywun ifanc, a phan o'n i yn y Gwent ar ôl llawdriniaeth y coluddyn, wi'n cofio'r nyrs yn rhoi'r pads 'ma i fi – fel ty'mod, fel ma babi'n gwisgo – a fi'n cofio colli rheolaeth o'n coluddyn i ar ôl y llawdriniaeth. Dyna o'n i'n gweld yr ymosod cynta ar 'yn urddas i gan y canser ofnadw yma, a jyst wedi dechre crio, a jyst ar ben 'yn hunan yn ystod Nadolig yn yr ysbyty a jyst yn llefen, ond o'dd hynna'n bwysig. Fi 'di llefen cyment dros y flwyddyn ddwetha.

BETI – Odych chi?

STEFF – Ond ma'n beth da i neud, ma'n bwysig, ma'r emosiwn yna fod i ddod mas. Ac un o'r pethe sy'n bwysig i fi ddweud wrth bobol yw, achos fi'n gwbod bod lot o bobol ma nhw'n bod yn gysur a chefnogol, ond ma'r gair 'ma, 'positifiti', ty'mod, ie, os allwch chi fod yn bositif byddwch yn bositif, os chi ddim yn teimlo'n bositif, byddwch yn grac. Ma hawl gan bobol sy'n ffindio'u hunan mewn sefyllfaoedd mor greulon, ma hawl 'da nhw i ddeud, 'Na, sai'n gwenu heddi, sai'n mynd i fod yn hapus heddi diolch yn fawr iawn', a fi'n meddwl dyna pan 'nes i'r penderfyniad yn weddol gynnar i jyst dweud wrth 'yn hunan, 'Pa bynnag emosiwn ti'n teimlo heddi, ma hynna'n iawn' ac trwy neud hynna, ac ar yr un pryd bod yn agored iawn a siarad am y peth, ma hwnna wedi bod yn help mawr iawn.

BETI – Ie, y siarad fel o'ch chi'n dweud...

STEFF – Bendant, ma'r cyfnod dwetha wedi bod yn anodd iawn, achos roedd rhaid i fi ddechre wynebu cwestiynau anodd iawn ynglŷn â marwolaeth.

BETI – Mae rhai pobol yn cael cysur mewn crefydd.

STEFF – Ydyn, un o'r pethe, Beti, wi wedi trio dros y flwyddyn ddiwetha yw i weld os yw hynna'n ffit i fi ac...

BETI – Byd yr ochor draw?

STEFF – Ie, os 'na rhyw stafell aros lan yn y nefoedd 'na a cymaint fi 'di ceisio credu, alla i ddim, a fi ddim yn siŵr pam. Fi'n edmygu pobol sydd gyda ffydd achos ella'i ddeall cymaint o gysur ma hwnna'n dod i unigolyn, on dyw e ddim yn dod â cysur i fi ar hyn o bryd, a falle deith hi, achos un o'r pethe sydd yn digwydd ar y siwrne yma yw bod emosiynau'n newid a ma pobol yn newid, ond ar hyn o bryd fi'n cael cysur o'r teulu a ffrindie a'r rhwydwaith mas yna. Ond ma gwynebu pethe fel marwolaeth, a dymuniadau fi pan ma amser fi'n dod, ty'mod, ma meddwl am y stwff fel'na 'di bod yn anodd dros ben.

BETI – Ella'i ddychmygu, a meddwl am..., y'ch chi'n treulio gymaint o amser ag y gallwch chi gyda Celyn?

STEFF – O ydw – ma fe wedi bod yn gymaint o hwb, fel ma plant, mae'n anhygoel, ty'mod, ma'n rhoi cyd-destun i bopeth. So, ma mynd i'r parc gyda fe ar brynhawn dydd Sul neu beth bynnag, os fi'n llwyddo i neud hynna ma hwnna'n uchafbwynt i'r wythnos ac ma fe o'r oedran 'na nawr lle ma'r bersonoliaeth wir yn dechrau a ma'n cyfathrebu lot yn well a y'n ni wedi datblygu *bond* pwysig iawn a, ty'mod, ma 'di bod yn bwysig i fi greu'r *bond* yna achos sai moyn iddo fe anghofio fi.

BETI – Na. Fyddwch chi, wi'n meddwl am y datblygiadau yn y maes meddygol, ma ne wyrthiau yn digwydd bron bob mis, ma nhw'n darganfod pethe. Ydi hynna'n croesi'ch meddwl chi? Falle...?

STEFF – Ydi, ma fe. Un o'r pethe wedodd y doctor wrtha i dair wsnos 'nôl, pan ges i'r newyddion drwg 'na ynglŷn â'r sgan dwetha, o'dd – paid â colli gobaith – ac ar y pryd o'n i ddim gyda unrhyw gobaith o gwbl, o'n i'n meddwl – wel, be sy gyda fi i fod yn obeithiol amdano? Ma'r canser yma nawr mewn rhannau newydd o'r corff. Fi 'di bod yn aflwyddiannus ar y *trial* cyffuriau, o ble ma'r gobaith 'ma i fod? A fi'n un o'r bobol 'ma sydd fel arfer, hoffwn i feddwl beth bynnag, sy'n eitha *rational*, so, mae'n anodd iawn i fi ffindo gobaith o nunman. OND fel chi'n dweud, ma'r ffaith bod 'na ddatblygiadau yn byd canser trwy'r amser yn meddwl bod 'na siawns 'da fi, cyn belled bod fi dal yn fyw, pwy a ŵyr? Gall trial cyffuriau newydd ddod yn y misoedd nesa 'ma.

BETI – Oes – ma pobol yn edrych ar America, yn dy'n nhw – oes yna bethe'n digwydd yn America?

STEFF – Ydyn, ma'n nhw'n edrych ar bethe fel *immunotherapy* yn fwy ar gyfer canser y coluddyn nag sy'n gyffredin yma ym Mhrydain, er bod e'n dechre digwydd ym Mhrydain hefyd. A dyma un o'r pethe arbennig ynglŷn â Felindre, pan wi'n mynd i weld 'yn Oncolegydd i a dweud – 'fi 'di darllen hyn ynglŷn â rhyw ganolfan yn America, beth y'ch chi'n feddwl?' – bydd hi wastod yn rhoi ateb onest i fi a hefyd ma hi wedi mynd hyd yn oed yn bellach na hynny a wedi neud ymchwil ei hunan i neud cymhariaeth rhwng be sydd ar gael yn America, be sydd ar gael ym Mhrydain, a siŵr o fod bydd hi gyda argymhelliad i neud yn yr wythnosau nesa. Dyna'r lefel o ofal unigol y'ch chi'n gael gyda phobol yn Felindre. So, os allen nhw ddim cynnig y driniaeth, newn nhw bopeth allen nhw i ffeindio rhyw fath o gyfle i gael o rywle arall, so, fi'n cydweithio'n agos iawn gyda fy Oncolegydd i weld be sy'n bosib. So, fi ddim yn rhoi lan, wrth gwrs, allech chi ddim, mae'n od iawn pan ma pobol yn dweud – *never give up hope* – wel, na, fyddech chi byth yn rhoi

185

lan gobeth ond dyw e ddim yn fath o frwydr lle mae'n gyfartal chwaith. Ma'r canser ar y blaen ar hyn o bryd, so dwi ddim yn rhoi lan gobaith ond ar yr un pryd yn neud y paratoadau ar gyfer pethe os nad yw'n gweithio mas hefyd.

BETI – Shwt ma Shona yn ymdopi?

STEFF – Ma' hi'n anhygoel, fi 'rioed wedi cwrdd â rhywun mor gryf, yn fy mywyd ac yn gryf dros y ddau ohonom ni. O'r cychwyn cynta ma hi 'di bod yna, ac yna i fi pob diwrnod ac fi jyst mor flin mod i wedi rhoi hi trwy'r profiad yma.

BETI – Wel, Steffan, ma 'di bod yn fraint i gael eich cwmni chi, y'n ni gyd tu ôl ichi yn cefnogi chi a'r telulu bach. Diolch o galon ichi am fod mor onest a, wel, ein dymuniadau gorau ichi.

STEFF – Diolch o galon, Beti.

Teyrnged i Steffan Lewis

Barn, Ionawr 2019

Fel arfer pan mae'n dod i deyrngedau coffa fel hyn, rydym yn dathlu cyfraniad oes bywyd unigolyn. Yn achos yr athrylith Steffan Lewis mae'r teimlad o golled yn fwy, nid ond oherwydd iddo gyflawni cymaint yn ei fywyd ifanc, ond oherwydd bod Cymru wedi colli gwleidydd a fyddai wedi dominyddu bywyd cyhoeddus ein gwlad am ddegawdau.

'Nes i gwrdd â Steffan am y tro cyntaf adeg is-etholiad Blaenau Gwent yn 2006 wedi marwolaeth Peter Law. Gan fod Peter yn Aelod Seneddol ac yn Aelod Cynulliad roedd dau etholiad. Roedd gan y Blaid ymgeisydd ar gyfer y Cynulliad, sef John Price.

Un o dasgau Uned Ymgyrchu Genedlaethol y Blaid dan arweiniad Adam Price, Cyfarwyddwr Etholiadau newydd y Blaid wedi cyflafan 2005, oedd darganfod unigolyn i gyflawni hunanaberth dros yr achos yn un o seddi mwyaf anodd y Blaid yng Nghymru.

Rwy'n cofio Geraint Day (Pennaeth yr Uned Ymgyrchu) a finne yn sgwrsio gyda Jocelyn Davies, Aelod Cynulliad Rhanbarthol De Ddwyrain Cymru, i drafod y broblem oedd yn ein hwynebu a hithau yn dweud bod ganddi berson mewn golwg – gŵr ifanc o Dredegar a oedd wedi syfrdanu Cynhadledd y Blaid pan roedd ond yn 14 oed. Ei enw oedd Steffan Lewis.

Rhaid dweud roedd gen i rai amheuon am y syniad o osod crwt 22 oed i mewn i bwll tân is-etholiad Seneddol. Diflannodd yr amheuon hynny ar ôl pum munud yn ei gwmni wrth drafod yr ymgyrch i ddod. Roeddwn yn ymwybodol fy mod yn delio gyda thalent wleidyddol aruthrol.

Roedd yn bleser cydweithio gyda Steffan fel ymgeisydd. Ges

i ddim un gair o gŵyn ganddo ac ymroddiad llwyr er bod y sefyllfa yn un anobeithiol. Y peth mwyaf rhyfeddol am Steffan oedd ei aeddfedrwydd ac yn ddiamod efe oedd seren y dadleuon teledu, er gwaethaf i Lafur ddewis un o'u gwleidyddion mwyaf talentog – Owen Smith.

Os ydych am unrhyw syniad o allu'r gŵr o Dredegar, edrychwch ar y canlyniadau. Cododd pleidlais y Blaid yn yr etholiad Seneddol o 4.1% tra'n syrthio ar lefel Cynulliad o 5.5%. Perfformiad Steffan oedd un o'r prif resymau i Dai Davies yr Annibynnwr gipio'r sedd.

Fel gwleidydd, does dim teyrnged gwell i Steffan na dweud bod pawb yn gwrando ar bob gair oedd ganddo i'w ddweud. Tueddiad gwleidyddion yw torri ar draws ein gilydd a hunan-ffocysu ar safbwyntiau personol. Roedd pawb yn gwrando ar Steffan oherwydd ei ddoethineb a'i allu i weld yn glir beth bynnag y sefyllfa. Dros y blynyddoedd rwyf wedi colli cyfri o sawl gwaith roedd Steffan wedi dylanwadu yn uniongyrchol ar sut roeddwn yn meddwl. Efe oedd un o'r ychydig wleidyddion gyda'r gallu i berswadio gwleidyddion eraill eu bod yn anghywir ac angen ailfeddwl. Roedd, heb os, yn wleidydd athronyddol heb ei ail a does dim syndod mai ef sydd wedi arwain y gwaith o lywio'r Blaid a Chymru trwy chwalfa Brecsit.

Uchafbwynt ei yrfa oedd cael ei ethol i'r Cynulliad Cenedlaethol. Mae llawer gormod o'n haelodau etholedig yng Nghymru a thu hwnt dim ond yn sefyll etholiad er mwyn bod yn wleidyddion – heb fawr o syniad beth i'w wneud unwaith maent yn wynebu'r cyfrifoldeb o wasanaethu ar lefel genedlaethol.

Galwedigaeth oedd gwleidyddiaeth i Steffan, nid gwaith. Roedd yr angerdd hynny yn disgleirio ym mhopeth roedd yn ei wneud. Roedd ganddo'r gallu yn ei areithiau i dynnu dagrau i lygaid pawb oedd yn gwrando. Roedd ei wybodaeth hanesyddol a llenyddol yn ei alluogi i droi geiriau mewn i arfau ieithyddol – yn llefaru ar faterion cymhleth fel bardd.

Roedd ei gariad tuag at gymoedd Gwent yn ddiamod. Roedd yn deall sut mae pobl dwyrain ein gwlad yn meddwl a sut i anelu neges berthnasol. Ei gariad mawr tu allan i wleidyddiaeth oedd clwb pêl-droed Celtic a'r tîm cenedlaethol. Rwy'n cofio ei gwrdd yn Gare Du Nord ym Mharis wedi un o gemau yr Euros yn 2016 gyda gwên ryfeddol ar ei wyneb.

Tra bod y genedl gyfan yn galaru, meddyliwn am ei deulu annwyl. Ei fam Gail, ei lysdad Neil, ei chwaer Nia, ei wraig Shona a'i fab Celyn. Ar er colli angor yr uned yn Steffan, hyderaf bydd eu caredigrwydd at ei gilydd yn galluogi iddynt oroesi eu colled enfawr.

Ei gyfenw yng nghylchoedd y Blaid oedd 'next but one' ar y sail ei fod yn anochel, un diwrnod, y byddai Steffan yn arwain y Blaid. Fe wna i fynd ymhellach a dweud, heb unrhyw amheuaeth, y byddai Steffan wedi arwain ein gwlad fel Prif Weinidog. Ni ddaw y weledigaeth honno yn wir. Mae'n gadael bwlch enfawr ar ei ôl. Ein dyletswydd ni nawr yw adeiladu Cymru newydd i'w anrhydeddu.

Jonathan Edwards

EULOGY TO STEFFAN LEWIS

FROM THE TRIBUTES paid to Steffan over the last two weeks it is clear that Wales has lost one of her brightest and best political figures of our time.

But Steffan was so much more than a public figure – husband to Shona; father to little Celyn; son to Gail; stepson to Neil; brother to Dylan, Siân and Nia, an uncle and son-in-law; a keen historian; a nationalist and internationalist; a Celtic supporter; and a friend to many of us; and more besides and we're here today to celebrate and remember all he was. And I'd like to share the story of my friendship with him.

When he asked me at Christmas if I would do this eulogy I started to think back to when our paths first crossed. That's about 25 years ago. His father, Mark, used to bring him to Plaid Cymru meetings and Steff's interest in politics was sparked by the Islwyn by-election.

Soon after, Gail brought him to the house because he wanted to discuss bullying in schools with a school governor. He was just ten – so mature, so polite, and so serious. And he wasn't so much worried for himself, but for smaller children – like his younger sister Siân, and to whom he took his bigger brother responsibilities very seriously indeed. He wanted Sian to be safe.

Gail was, without doubt, the driving force in those formative years and it is to Gail that Plaid Cymru owes a massive debt of gratitude because she gave Steffan the gift of his love for Wales; for its language, for its culture and history, and for the nation. And, not forgetting, the typewriter she gave him from which the ten-year-old Steffan fired off letters to various people about important matters of the day!

He hadn't at that point decided to be a politician. In fact, he was quite set on becoming a police officer. So, in typical Steffan style, sent one of his letters to the local police station about his intentions. So impressed were they that Steffan and Siân were treated to a tour of the station, put in the cells, and had their fingerprints taken for good measure. So, even at this tender age he had the directness and easy charm that impressed the people he met.

He was still a schoolboy when he made his first visit to the Commons by the invitation of Dafydd Wigley – after Steffan had written one of his letters, of course. Dafydd said he was immediately struck by a young man who had a passion for Wales, who already had an understanding of politics, and had a maturity beyond his years.

As a teenager, Gail continued to encourage him to maintain his interest in politics, and he seemed 28 speaking at conference – but was also happy tagging along with whatever was going on locally.

He helped us out in the historic Assembly elections of 1999, and it came as no surprise to me when he later contacted me about a work placement at the Bay. He was 15 and he spent that first summer making his way down from Tredegar to help me, and to learn, meeting everyone, and just being part of the excitement of it all – I think he also tried out my chair for size while I was out of the room! – already planning no doubt.

On the journeys home with Mike and I in the car he talked of his plans for A levels, of Welsh history (I think he'd visited every castle in the land) and of what devolution meant to him – the dawn of a new Wales.

We lost touch with our young friend when he went off to university and then travelling – and he told me later that during that time he'd even flirted for a while with the Wales Independence Party. I think he'd felt a profound deflation when it became all too obvious that the powers the Assembly had at

191

that time were not going to build the Wales he was expecting to see.

It was 2006, with the Blaenau Gwent by-election looming, and our need for a Westminster candidate, that he came back into our lives. Mike, of course, had the task of ringing him. By now he'd met the love of his life, Shona, in a pub in Cardiff when she was visiting from Inverness. He knew she was 'The One', and with his usual vigour and determination pursued her back to Scotland. He was working there and had joined the SNP, and had become a Celtic supporter – but you can't have everything!

Becoming a Celtic supporter wasn't, by the way, a shallow attempt to impress Shona. It was, Steffan style, thoroughly thought through and based on the fact that the team was originally formed with the specific aim of being a way of raising funds to feed poor children in the east end of Glasgow – well, that's what he'd tell us when they were not on top form!

Luckily for us, Shona was fully supportive of him standing and he agreed to fight the seat for us. And what a candidate! Dai Davies recently told me that, in all the hustings they attended, all he needed to do was pray Steff answered questions before him and then agree with whatever Steff said. Steff was just 22. And already had the public speaking skills of a seasoned professional.

He and Shona came home to Wales and settled in Islwyn. It was a partnership of true equals and they were always 100% supportive of each other. I know he was happy in Scotland, but was pleased to be back near his family and to see his little sister Nia as often as possible.

It's from this time really that he became like family to us, and not just Mike and me, but the whole Islwyn Plaid Cymru clan.

Over the years he's paid some lovely tributes to me, and claimed I took him under my wing. Well, he was a very polite boy. I'm not sure that was entirely true. It's probably more accurate to say I just took the opportunity to light a blue touch paper that was already there – the intellect, the talent and the drive were already there. All he needed was the benefit of some wise experience – and a little time and space – I think I gave him that. Yes, I gave him that. And if you light a blue touch paper, it is best if you then stand well back!

The real step-change for Steff was going to work for Leanne, and I know he was incredibly proud of the work they did together, and being right at the centre of the action was the perfect finishing school for him. And I'm sure she'd agree that, quite apart from his professional abilities, Steff was one of those nice people to have around – serious, yes a bit straight laced too, but he was really funny – we laughed a lot together, even on those very dark days.

He had his anxieties. He confided in me that he was worried he wouldn't be taken seriously as an Assembly Member because of his age. Of course, his fears were completely unfounded. He was, after all, the star of the show – I might be a bit biased on that front.

I've come now to the really hard bit.

What happened to Steffan is a tragedy beyond words – but somehow he found the words for it.

The openness, clarity and tenderness with which he spoke about his experience and feelings was extraordinary. It was a noble selfless endeavour to tell his story in order to help others. And he did that with a frankness that was truly touching. He and Shona, together, demonstrated a strength and generosity of spirit that made this last year easier for us all. And the dignity with which Shona has bore her grief is inspirational. Where she found the strength and fortitude, I have no idea. She is one of the most remarkable women I have ever met.

Steff and his whole family were on the most terrible of journeys and they invited us to share it with them and they were always grateful for our company and considerate of our feelings. And they did this with a positivity that was truly humbling. They comforted us.

There are far too many people to thank individually for all

the support they've received, and I know they are overwhelmed by the love and kindness shown to them from all quarters. But Steff would want me to say how proud he was of Nia's fundraising work for Velindre, and he was especially grateful to Rhuanedd Richards for being a rock for Gail, who is bearing the utter despair that no mother should ever face.

The last time Mike and I saw Steff at home with Shona and his sweet sweet boy Celyn, he said one of the good things that had come from this was that his family were even closer than before, and he was looking forward to watching football that weekend with brother Dylan and his very special friend, Neil, his stepfather.

He was also making plans with us to make a last appearance at the Senedd to make a final statement to you – always planning, always working towards something. I don't know what he intended for that statement – maybe he'd have told you, Harri Webb style, to 'sing for Wales'. Steff certainly sang for Wales.

But I know for certain he would have thanked you all. So, I do that now for him. Thank you.

Jocelyn Davies

Teyrnged i Steffan Lewis

COLLED SY'N EIN tynnu ni ynghyd heddiw, mewn cwlwm tyn o ing. Colli mab, colli gŵr, colli tad, colli cyfaill. Ond drwyddi draw colli Cymro mawr. Gwlad sy'n galaru am yfory na fydd fu Cymru erioed. Oherwydd hanes hir o golli, brwydr a brawd. Colli Cadwallon a Rhodri a Gruffydd a Llywelyn, Owain Lawgoch a Glyndŵr. Ac yn y rhestr o bendefigion nawr yr ychwanegwn enw llywiawdwr lluoedd arall, ein hannwyl Steffan.

Ac eto wedi plethu yn y boen, mae 'na wirionedd arall i'w weld yn y gwagle. Colli, colli, colli – ac eto mynnu byw er gwaetha popeth yw hanes ein cenedl.

Mae rhywbeth od am y ffaith ein bod ni fel cenedl y Cymry yma o hyd – yn sefyll fan hyn dim ond ychydig filltiroedd o'r ffin dan drwyn cenedl fu am ddwy ganrif yn feistr y byd. Roedd bywyd Steffan, dyn o Went, yn Gymro croyw, cadarn yn symbol o'r ffaith, bod yn y genedl eiddil hon, yng ngeiriau Islwyn Ffowc Elis, yntau hefyd yn ddyn o ymyl y ffin, rhyw athrylith i barhau.

Mae Cymru yn dal yn byw oherwydd ein bod ni yn ewyllysio hynny, oherwydd y gwydnwch rhyfeddol hynny sy'n plygu heb dorri. Fe welwyd hynny ar ei ganfed ym mlwyddyn olaf Steffan, ac yntau yn llwyddo i fyw hyd yr eithaf, yn cyfrannu hyd y diwedd, yn cipio einioes o ddannedd ei waeledd cynifer o weithiau er mwyn dal i wneud gwahaniaeth dros y bobl a'r wlad a garodd ac a'i carodd yntau. Mentrodd dro ar ôl tro yn erbyn Goleiath ar ddydd na ŵyr gwyrth.

Wrth feddwl am y deyrnged hon mi feddyliais i am y

teyrngedau godidog yr oedd Steffan ei hun wedi eu rhoi i Glyn Erasmus a Jim Criddle. Yr oedd ers ei lencyndod wedi cyfri henaduriaid y Blaid yn ffrindie mynwesol.

Oherwydd roedd Steffan yn deall taw ras gyfnewid ydi'r frwydr dros Gymru ac na fydd diwedd iddi fyth.

Mae 'na gyfrifoldeb arnon ni gyd nawr felly i beidio â gollwng y ffagl i'r llaid.

> Pan gyrchom i'r gad bydd dy gleddyf fel fflam o'n blaenau,
> Pan gymerom gyngor bydd dy air fel cân yn ein cof,
> Pan ddysgom ein plant, bydd dy enw'n soniarus yn ein haraith
> A phan na fyddwn ni,
> Gan genedlaethau sy 'nghudd dan blyg y blynyddoedd,
> Cenedlaethau na wybyddant na'n henwau ni na dim amdanom,
> Fe'th ystyrir di'n ddewr,
> Fe'th gyfrifir di'n ddoeth,
> Fe'th elwir di'n fawr.

In my last conversation with Steffan a few days before he passed we talked about many, many things. Steffan was a man, in Whitman's phrase, who contained multitudes. He had a large heart and a huge intellect – and those things don't often come together. He was a brilliant orator and a champion listener – and that combination is rarer still. He was, as we know, courageously honest and he wanted me to know he had only a short time left. As I held him, there were moments of silent sadness, but we also laughed a lot.

We pondered together the last message that he could convey through me to you. And his face was illuminated with a mischievous grin when he said, 'I know, we'll ask them to pledge themselves to giving up beer and wine until we secure Welsh independence', forcing some of you into an excruciating choice between two of the things you love the most. You know who you are.

He really wanted to see that independent Wales, he said.

And he wished so much the prognosis would change. Knowing Steffan as we do I think he meant not so much now for himself but for Wales, for us, and for Celyn.

There was always a great sense of urgency about Steffan. Not for him the languid language of independence as a long-term goal. He wanted us to get there while he was yet young. He had the same boundless energy – but also perhaps the same foreknowledge that all of us have but limited time – that propelled the young John F Kennedy to end his campaign speeches with those words of Robert Frost:

> The woods are lovely, dark and deep.
> But I have promises to keep
> And miles to go before I sleep
> And miles to go before I sleep.

The Monday morning after the terrible news I couldn't face going into a Senedd with an empty seat. So I went for a run around the Bay. My face contorted with exhaustion and grief, an elderly gentleman offered his words of kindness and encouragement: 'Not far to go now. Not far.' I stopped to look out over the clouds in the Bay, and suddenly shafts of sunlight cut through onto the water. In Sunday school we learned to call that Jacob's ladder – but for me now these rays of sunshine will be forever Steffan's.

And it put me in mind of the inauguration of Jack Kennedy, that other great leader who gave a nation new hope.

Robert Frost was due to read out a poem he had written especially for the occasion, but as he approached the podium a sudden glare of sunlight meant he couldn't read his text. So instead he read out another poem from memory, 'A Gift Outright'.

> The land was ours before we were the land's.
> She was our land more than a hundred years
> Before we were her people. She was ours
> In Massachusetts, in Virginia,
> But we were England's, still colonials,
> Possessing what we still were unpossessed by,

Possessed by what we now no more possessed.
Something we were withholding made us weak
Until we found out that it was ourselves
We were withholding from our land of living,
And forthwith found salvation in surrender.
Such as we were we gave ourselves outright
(The deed of gift was many deeds of war)
To the land vaguely realizing westward
But still unstoried, artless, unenhanced,
Such as she was, such as she would become.

The poem is about a sense of oneness between a people and their land.

Monmouthshire perhaps is Wales' Massachusetts, Virginia its Gwent, where the magnetic pull of the border is strongest, where to be Welsh is not an accident of birth but an act of defiant will. Do we choose to withhold ourselves from Wales, to follow the easy paths of personal ambition and material success, or do we sacrifice ourselves for Wales? Steffan's answer was never really in doubt. His mother Gail made sure of that. Steffan found salvation in surrendering himself to Wales. His life to his last was a gift outright to the nation.

Cymru to Steffan was par excellence a country of companionship. He wanted to plant it thick as trees along mountain-top and valley floor, and for our shores and our rivers to constantly water its roots. He wanted us to be indissoluble, inseparable, compatriots all, with our arms around each other's necks, 'Cuumraag' in Manx means comrade after all. And this dear comrade wanted Wales – all of Wales – to cwtsh up close.

Like his great mentor and hero Phil Williams, Steffan railed against what Phil called the false 'psychology of distance' which divided our nation.

This is Steffan in 2012 in an email to Rhuanedd and me:

We should talk about ending the Walian. We are not south Walians, north Walians, west Walians etc. Yes, Wales is a community of communities but the artificial regionalisation of Wales and the cynical divides based on language, geography, urban v rural are the tools of those who seek to divide us to protect the political status quo, for their narrow self-interest. Wales is at its best when Wales is one – One Wales (yes, with capital letters), facing common challenges together. This is needed more than ever as our country faces a full frontal assault from the UK government.

Steffan was a proud Gwentian, but keen to emphasise its fundamental Welshness. How Zephaniah Williams and John Frost were both Welsh speakers. As was the miner Edward Morgan – the Dic Penderyn of Monmouthshire – executed at age 35 as a leader of Tarw Scotch. Though it was the working class Welsh culture of these valleys that was the crucible in which Steffan's personality was forged – he was also quite struck, and no doubt amused, by the stories of Lady Llanofer, insisting her staff only spoke Welsh, and wearing a bespoke Welsh costume, made out of the finest materials, with a superb diamond leek in her black silk hat.

He was himself a gem of a man, and so it's fitting that he will be followed by a Jewell. And I know that it gave Steffan great comfort to know that he could pass the baton on to someone equally able and committed.

He touched us all in different ways, and it stings to know we're no longer able to reach out and touch him.

In remembering him here now our hearts are both beguiled and broken.

But he would not want us to despair in this our land of living.

So every morning when we wake let's wake for him. When we rise, let it be the rising of a nation.

As Steffan's years were halved let's re-double our efforts on his behalf.

Steffan never learned to take his time so nor should we. He

achieved so much in such a short while, inscribing in the arc of his life a great promise of things to come. Its realisation now falls to us.

Our future may lie beyond the horizon, but it is not beyond our control. Nothing is inevitable, no irresistible tide of history will determine our destiny. It is up to us.

We do not have far to go. The future is in our hands.

So let's build it together in the name of one we loved.

And who loved us in return.

Such was the strength of that love that one nation would never be enough to contain it.

Steffan dreamed of creating a Celtic Union so he fashioned his own in bonding forever with Shona.

So it's fitting we should say our goodbyes on that great Scottish poet Robbie Burns' birthday.

And so I'll end with his words to a dear departed friend that feel so apt today:

Few hearts like his, with virtue warm'd,
Few heads with knowledge so inform'd:
If there's another world, he lives in bliss;
If there is none, he made the best of this.

Before I conclude I should like to read out some special messages of condolence that we have received.

Firstly from Nicola Sturgeon, Scotland's First Minister:

I was lucky to know Steffan. I first met him when he supported Leanne at those famous TV debates. I could see then what a keen mind he had and what a compassionate individual he was. As a result it was no surprise to me when he was elected in 2016. Steffan was a truly lovely man and a first rate politician. He had the good fortune in life to marry Shona, a Scots woman, and his young son Celyn has perhaps the even better fortune to be both Welsh and Scottish. Shona and Celyn can be enormously proud of what Steffan achieved and as you celebrate his life today, my thoughts, and those of

Steffan's friends and colleagues in Scotland are with all of our friends in Wales.

And secondly on behalf of the Irish Government, Ambassador Adrian O'Neill:

> I was very saddened to learn of the untimely passing of Steffan Lewis and, on behalf of the Irish Government, I extend my sympathies to Steffan's wife Shona and his son Celyn and to all his colleagues in Plaid Cymru and the Welsh Assembly. He will be remembered not only for his notable career in Welsh politics but also for his drive and passion in furthering bilateral relations between Ireland and Wales.

Adam Price

ER COF AM STEFFAN LEWIS

Bu amser â'i fyrder mor fên heddiw:
    fe ddiffododd seren
    ddisgleiriaf ein ffurfafen
    a'i dwyn hi, cyn pryd, yn hen.

Nacáu'i hangau diangen, ni allwn;
ond gallu pob seren
    yw aros drwy nos ein nen
    yn olau, er troi'n gelen.

Jim Parc Nest

'Y FFLAM NA DDIFFYDD BYTH'

Er gaeaf o gyflafan – ac oerwynt
   yn gur i fflam egwan,
   enaid yw sy'n dal ar dân,
   nid diffodd a wna Steffan.

AN ETERNAL FLAME

Despite the bite of bitter winter chill
   and the candle's flicker,
   his soul's flame is still astir,
   Steffan shines ever brighter.

Annes Glynn